삶이 변화되는

성경적 경제 십계명

[김동기]

현. 단석교회 담임목사

저서 :

생각의 하늘 (시집, 브리덤/교보문고/2011.)

찬양대십계명(나눔사/갓피플/2013)

성경적경제십계명(Bookk/2018)

그네타기(시집, Bookk/2018)

사도신경 I II(Bookk/2019)

소설 고양이 먹이를 주는 여자(Bookk/2020)

주기도문 해설서/이렇게 기도하라(Bookk/2019)

금동이(기독교동화. Bookk/2019)

창작선교동화 CHILDREN(Bookk/2019)

동화 누나가되었어요(은혜미디어/2020)

자전적소설 타인의 길((Bookk/2020),

마지막 카네이션(소설,엔브랜딩 2021)

기독교신춘문예 현대소설 입선 (작품:절대반지. 2021)

소설, 양동역 가는 길(2022. 엔브랜딩)

삶이 변화되는 성경적 경제 십계명

지 은 이 김동기
발   행 2024년 7월 8일
편집.교정 김선희 최혁규
펴낸이 한건희
펴낸곳 주식회사 부크크
출판사등록 2014.07.15.(제2014-16호)
주   소 서울특별시 금천구 가산디지털1로 119 SK트윈타워 A동 305호
전   화 1670-8316
이메일 info@bookk.co.kr
ISBN   979-11-410-9367-9
www.bookk.co.kr©

삶이 변화되는

성경적 경제 십계명

김동기 지음

BOOKK✎

차 례

하나님으로 말미암아 기뻐하리로다.

비록 무화과나무가 무성하지 못하며 포도나무에 열매가 없으며

감람나무에 소출이 없으며 밭에 먹을 것이 없으며 우리에 양이 없으며

외양간에 소가 없을지라도 나는 여호와로 말미암아 즐거워하며

나의 구원의 하나님으로 말미암아 기뻐하리로다.

구약성서 개역개정 하박국 3장 17-18절

  이 책은 저의 독창적인 글이라기보다는 성경을 바탕으로 한 '삶이 변화되는 성서적 경제관'을 쓰기 위한 경제 관련 서적과 신학 관련 서적 몇십 권을 편집했다고 하는 것이 더 나을 것 같습니다. 더불어 각 부분마다 제 생각과 하나님이 주신 마음도 함께 나누었습니다.

  경제에 대해 전혀 모르는 문외한이 어떻게 '삶이 변화되는 성경적 경제 10계명'을 쓰려고 했는지 스스로 이해되지 않는 부분은 있으나 하나님께서 주신 마음이라고 생각하며 지난 몇 개월 동안 고전 경제학, 일반 경제학 서적들을 읽고 고민하면서 정리했습니다. 물론 다 이해하지 못하였기에 동영상 강의를 통해 도움도 받았습니다. 일반 경제의 완전한 이해는 불가했지만 분별력

은 생겼습니다. 즉 한 가지 사실, 지금의 경제는 '하나님 나라의 경제'가 아니라는 것이었습니다. 그리고 하나님께서는 우리에게 분명히 말씀을 주시되 이 땅에 살아가야 할 삶의 원리와 내용들이 허무하거나 이론에 그치는 것이 절대 아니라는 것을 알았고, 그것이 하나님의 말씀을 대하는 저의 믿음이었습니다.

이러한 배경 속에서 완전하고 온전한 복음이 성경 속에 있는데, 그것은 영적인 부분만이 아니라는 것을 알게 되었습니다. 하나님께서는 우리의 영만 소중하다고 말씀하시지 않습니다. 우리의 전인, 즉 영·육이든, 영· 혼· 육이든 간에 우리의 모든 것이 거룩해져야 한다는 것이었습니다. 그리고 그러한 배경하에서 하나님의 말씀은 우리에게 완전하고 온전하여 삶의 사는 내용까지도 또한 먹고 사는 부분, 문화, 환경, 시대 등의 모든 인생의 전면에 걸쳐서 우리를 간섭하시고 통치하시고 인도하심을 알게 되었고 확인하게 되었습니다. 그 한 예가 바로 '삶이 변화되는 성경적 경제학'입니다. 하나님은 이 땅 가운데 당신이 허락하신 창조 세계의 모든 재화를 넉넉하게 공급하시었습니다. 그리고 그 하나님의 사람들을 통해 나눔과 공유를 허락하셨고 모든 사람들이 하나님께 영광과 찬양과 감사를 돌리도록 이 땅 가운데 사는 인생들에게 지금도 말씀을 통해, 자연 세계를 통해 부지런히 계시하십니다.

세상은 불의하고 불평등한 폭력적인 바알의 경제로 가득 차 있습니다. 그리고 그것은 안타깝게도 교회에도 들어와서 주인 행세를 하고 있는 실정입니다. 이러한 배경은 최근에 가장 인기를 끄는 경제적 이론이나 지표들, 그리고 경제와 자본이라는 이름으로 교회와 세상 가운데 드러내고 있는 모든 사상과 이론들이 하나님의 말씀과 거리가 먼 것들이었습니다. 물론 저처럼 무능하고 무지한 미련한 자가 논할 소지는 아님을 잘 알고 있습니다. 그러나 하나님의 말씀과는 거리가 느껴지는 그러한 경제적인 가치들이 성도들을 또는 하나님의 사람들을 혼돈케 하고 영적인 거룩만을 외치는 그것에 의하여 삶의 내용은 거룩과 거리가 멀도록 사는 성도들의 모습에 고통스러울 뿐이었습니다.

자본주의 사회에 사는 성도들의 온전한 거룩은 바로 물질, 즉 경제적 가치였습니다. 그러한 경제적 가치가 성경적이지 못한 채, 영적 거룩만을 외치는 것은 반쪽 복음이고, 반쪽 신앙인이라는 결론이 내려졌습니다. 그래서 아직 익숙지 못하고 부족하지만 성경에서 말하고, 또는 성경을 근거로 사역하는 공동체나 서적들을 통해서 쉽고 이해 가능한 성경적 경제관을 세워 나가길 원했습니다. 이러한 배경 속에서 앞으로도 많은 연구와 묵상 정리와 공부가 필요하지만 성급하게도 풋 과일 같은 책을 내 놓게 되었습니다. 독자 여러분의 많은 이해와 기도를 부탁드립니다. 모든 영광은 주님께!

항상 부족한 책을 쓰기까지 함께 해 주신 동역자이며 영적 동지들에게 깊은 감사를 드리며, 끝으로 한없는 사랑으로 함께 해 준 단석교회 가족들과 사랑하는 문소영 사모와 진서, 은서, 희서 귀한 선물들에게 사랑과 감사를 고백합니다.

삶이 변화되는 성경적 경제 십계명은 2018년에 썼던 '성경적 경제 십계명'을 거의 재출판하는 여정으로 써 나갑니다. 다시 한번 이 책이 많은 믿음의 독자들에게 자본주의 시대에 사는 성도의 삶을 변화 시키리라는 믿음으로 재판(再版)의 의미를 둡니다. 감사합니다.

제 1 계명

삶의 가치를 완전히 바꾸라

- 하나님의 공급으로서의 오병이어

* 오병이어사건 속에 하나님 나라의 원리

오병이어를 기적이나 하나의 사건으로 우리의 생각을 좁혀 버리면 창조주 하나님이 허락하신 복음 능력의 한 일면을 무너뜨리는 우를 범하는 것입니다. 복음은 완전체로 우리 가운데 오셨습니다. 예수님이 육신을 입고 하나님의 나라에 대해서 설파하신 것은 영과 육이 분리 된 것이 아니고 하나로서 적용되기 때문인 것입니다. 그러므로 복음이 전하여 지는 곳에는 오병이어의 하나님의 공급도 함께 역사해야 합니다.

예수께서 이르시되 갈 것 없다 너희가 먹을 것을 주라 제자들이 이르되 여기 우리에게 있는 것은 떡 다섯 개와 물고기 두 마리 뿐이니이다 이르시되 그것을 내게 가져오라 하시고 무리를 명하여 잔디 위에 앉히시고 떡 다섯 개와 물고기 두 마리를 가지사 하늘을 우러러 축사하시고 떡을 떼어 제자들에게 주시매 제자들이 무리에게 주니 다 배불리 먹고 남은 조각을 열두 바구니에 차게 거두었으며 먹은 사람은 여자와 어린 이 외에 오천 명이나 되었더라. / 신약성서 개역개정 마태복음 14장 16 - 21절

* 예수님의 몸 안에 내재된 공급의 DNA

예수님께서는 제자들에게 먹을 것을 공급하라고 하십니다. 그런데 말씀하시는 모양새가 아주 당연히, 그리고 그렇게 해야만 하는 것처럼 말씀하십니다. 제자들이 당혹스러울 수밖에 없습니다. 상황 상 제자들도 빈궁한 상태이고 가진 것이 없는 현실인데도 불구하고 예수님은 제자들의 환경과 상황을 전혀 모르는 상태인 것처럼 말씀하십니다. 예수님의 눈에는 배고픈 자들만 보입니다. 제자들의 환경과 상황을 전혀 모르신 것일까요? 아마도 그렇지는 않았을 것입니다. 그러나 예수님의 이 단호함은 어떻게 해석해야 할까요? 그것은 예수님의 하나님 나라에 대한 원리와 이해를 제자들에게 말씀으로 교육하시는 것입니다. 예수님과 제자들은 하나의 공동체였습니다. 그리고 예수님은 짧은 3년의 공생애 기간 동안 그들에게 하나님 나라의 모든 것을 부어주셔야만 했습니다. 그러므로 우리는 복음서에 나오는 예수님의 사소한 말씀, 행동 모든 것에 의미를 부여하지 않으면 안 됩니다.

* 오병이어 - 하나님의 나라는 굶주린 자가 없이 풍성한 곳

오병이어는 예수님이 기적을 보이시고 볼거리를 제공한 사건이 아닙니다. 단지 한 두 번 수많은 군중들에게 인기를 얻으려고 한 행동이 아닙니다. 오병이어 사건을 통해서 제자들에게 또는 우리에게 말씀하시려고 한 중요한 메시지가 포함되어 있음을 알아야합니다. 예수님께서는 당연히 제자들을 통하여 하나님 나라가 어떤 것인가를 알게 해 주십니다. 예수님이 저들과 함께 하고 있다는 것은 하나님 나라는 먹는 것의 풍성함이 가득한 곳임을 알게 해 주신 사건이 오병이어입니다. 그 하나님 나라의 풍성함에 제자들을 동참시키고 있는 사건입니다. 그러나 제자들도 저들과 동일한 죄인들이라 항상 결핍이고 부족한 상태입니다. 그리고 자기 것이 있어도 그것은 소유에 대한 죄성으로 가득한 지라 그것을 내어 놓을 수 없습니다. 그들에게 일갈을 하십니다.

" 너희가 먹을 것을 주라 "

제자들은 이 부분에서 당혹할 수밖에 없습니다. 없는데 어찌 줄 수 있습니까? 또 줄 수 있는 마음이 아닌데 어떻게 줄 수 있겠습니까? 이것이 우리의 현실입니다. 우리는 있어도 내어 놓지 못하는 그 상태, 죄와 결핍과 욕심의 상태입니다. 누군가가 말합니다. 왜 인간은 약한가? 그것은 약하기 때문에, 왜 욕심을 부리는가? 그것은 풍성함이 없기 때문입니다. 그것이 우리의 현실입니다. 우리는 먼저 이 부분을 고백해야 합니다. 우리는 약하고 없기 때문에 약하고 욕심대로 살 수 밖에 없다는 것입니다. 이 지점이 우리 인생의 한계요, 제자들의 현재 상태입니다.

* 구원 투수 - 한 아이

여기 한 아이가 있어 보리떡 다섯 개와 물고기 두 마리를 가지고 있나이다. 그러나 그것이 이 많은 사람에게 얼마나 되겠사옵나이까 / 신약성서 개역개정 요한복음 6장 9절

필라델피아 템플 침례교회 주일학교에 한 가난한 집안의 소녀가 찾아왔습니다. 당시 교회는 어린이를 위한 교육기관은 거의 없는 형편이어서 좁은 방에 많은 아이들이 복작거리고 있었습니다. 교실이 너무 좁아 새 학생을 받지 않고 있었으므로 이 소녀도 교회에 나갈 수 가 없었습니다.

얼마 후 이 소녀는 불치의 병에 걸려 세상을 떠났습니다. 그러나 죽은 소녀의 베개 밑에는 짧은 편지와 동전 57센트가 나왔던 것입니다. 이 편지는 그 교회 목사님에게 쓴 것입니다.

" 목사님, 더 넓은 교회를 짓도록 제가 모은 헌금입니다.

넓은 교실도 지어주세요"

목사는 소녀의 편지를 장례식에서 소개하였으며 이 감동은 기적을 불러 일으켰습니다. 그 결과 이 교회 교인들은 큰 성전 뿐만 아니라 병원(Good Samaritan Hospital)과 명문대학(Temple University)까지 짓게 되었습니다.

한 아이, 이 어린아이의 이름조차 없습니다. 그리고 당시 유대의 관습상 여자와 어린아이는 사람으로 인정조차 하지 않았습니다. 어린아이는 하나님의 나라에서 가장 가까운 존재가 아닌가 합니다. 그러므로 어린아이는 예수님의 음성을 들었으리라 추측해 봅니다. 그리고 예수님에게 자기의 먹을 양식이 옮겨져야 한다는 것을 직감적으로 알게 되었습니다. 여러 가지 추론이 있을 수도 있습니다. 부모가 빼앗아서 드렸다거나 또는 제자들이 예수님께 드렸을 수도 있습니다. 그러나 오병이어의 구원투수는 한 아이였습니다. 그리고 그가 자기 것을 공유했을 때 역사가 일어납니다. 즉 하나님의 나라의 원리가 시작되는 것입니다. 한 아이는 자신이 인식도 못할 때 하나님의 나라의 역사가 시작된 것입니다. 하나님의 나라는 겨자씨 하나의 믿음으로 세상을 덮을 수 있기 때문입니다.

주께서 이르시되 너희에게 겨자씨 한 알만한 믿음이 있었더라면 이 뽕나무더러 뿌리가 뽑혀 바다에 심기어라 하였을 것이요 그것이 너희에게 순종하였으리라 / 신약성서 개역개정 누가복음 17장 6절

* 홀리 트랜스폼! (Holy transform!)

" 그것을 내게 가져오라 "

오병이어의 기적의 완성은 바로 예수그리스도를 고백하는 것입니다. 우리의 모든 물질을 예수님의 것으로 고백하고 그분께 내어 드려야합니다. 소유를 주장하지 않고 관리자라는 것, 즉 청지기임을 항시 고백해야합니다. 나에게 주신 물질, 은사, 재능, 사람 이 모든 것이 주님의 것 이어야합니다. 그것은 말이 아니라 행함과 실천으로 실현되어야합니다. 그러므로 앞으로도 지속적으로 말씀 드리겠습니다만 성경적인 경제를 완성하기 위해서는 믿음의 고백, 신앙의 고백이 필요합니다. 교만함의 시작은 모든 것을 자기중심적으로 사고하는 것입니다. 하나님의 사람, 성령 충만한 사람은 허락된 모든 것을 감사함으로 받고 감사함으로 내어 드리는 것입니다. 소유를 주장하는 순간 우리는 수많은 것들에 대해 신경이 쓰이고 고민하고 근심거리가 되는 것입니다. 그러나 청지기 정신은 우리에게 겸손함과 평안함을 허락하기에 더 많은 거룩한 일들을 맡겨지게 되는 것입니다.

* 온유한 자의 복

주님을 고백하는 자리에서는 언제나 하나님 나라의 역사가 일어납니다. 주님 자신이 왜 우리에게 육의 몸을 입고 하나님으로 오셨을까요? 그것은 주님의 몸이 완전한 복음 그 자체입니다. 영과 육이 완성되는 곳, 그리고 그것을 우리에게 전하시고 공유하시고 나누시는 은혜의 역사입니다. 하나님의 나라를 몸소 보이신 예수 그리스도를 통해 우리는 예수님이 말씀하신 산상수훈의 말씀을 귀담아 들어야 할 것입니다.

온유한 자는 복이 있나니 그들이 땅을 기업으로 받을 것임이요 / 신약성서 개역개정 마태복음 5장 5절

온유한 사람은 어떤 사람입니까? 겸손히 하나님을 의지하는 사람이란 뜻입니다. 그러므로 그 사람에게 왜 땅을 기업으로 줄까요? 소유로 준 것이 아니라 나누는 기업으로 준 것입니다. 그렇게 할 때 그 사람의 공동체, 주변 모두가 하나님이 주신 기업인 땅의 도움과 혜택을 받을 수 있기 때문입니다.

- 온유한 자의 사랑

신사적이며 존경받는 그리스도인 가운데 토마스 무어경이라는 사람이 있었는데, 어느 날 무고하게 잡혀 죽음을 당하게 되었습니다. 그런데 그는 자기

에게 사형을 언도하고 있는 재판관을 향하여 다음과 같은 유명한 말을 남겼습니다.

"재판관이시여, 내가 당신을 친구라고 부르도록 허락해 주십시오. 친구여, 나는 당신과 나의 관계가 바울과 스데반의 관계가 되기를 원합니다. 바울이 스데반을 죽였지만, 지금쯤 하늘나라에서 이 두 사람은 가장 좋은 친구가 되어 있을 것입니다. 그대가 나에게 죽음을 선고하지만 우리는 하늘나라에서 영원한 구원을 함께 누리는 친구가 되기를 바랍니다."

재판관은 이 토마스 무어 경의 감격스런 선언을 듣고서 이렇게 되물었습니다.

"내가 그대에게 사형을 언도했는데 그대가 나를 선대하는 이유는 무엇이오?"

토마스 무어경은 부드러운 미소를 띠며 대답하였습니다.
"주께서 나에게 먼저 긍휼을 베풀어 주셨기 때문입니다."

주님 앞으로 나의 모든 것을 내어 드리는 사람이 온유한 사람이며 하나님의 사람입니다. 그리고 우리 모든 그리스도인은 주님이 이렇게 계속 말씀하십니다. "그것을 내게 가져오라" 왜냐하면 그것은 우리의 것이 아니고, 우리는 그것을 관리할 수 있는 능력이 없기 때문입니다. 주님께 나의 모든 것,

나란 존재 그것까지도 내어 드려야만 하나님의 나라의 풍성함을 맛 볼 수 있습니다. 그리고 그것은 완전한 복음의 완성으로 나가는 길이 될 것입니다.

＊ 아버지와 아들의 동역

떡 다섯 개와 물고기 두 마리를 가지 사 하늘을 우러러 축사하시고 떡을 떼어 제자들에게 주시매 제자들이 무리에게 주니 다 배불리 먹고 남은 조각을 열두 바구니에 차게 거두었으며   / 신약성서 개역개정 마태복음 14장 19-20절

예수님은 한 아이의 물고기 두 마리와 떡 다섯 덩어리를 가지고 하나님 앞에서 기도하셨습니다. 창조주의 역사가 시작되었고, 이 땅의 모든 재화와 재물의 근원되시는 분께서 거룩한 창조를 통해 나눔의 역사가 드러나기 시작했고 이것은 그들의 배를 만족하게 함과 동시에 그 공동체의 마음까지도 풍성함을 허락했습니다. 거기서 함께 먹고 마셨던 사람은 하나님께 영광 돌릴 수밖에 없었고, 예수 그리스도를 하나님의 아들로 고백할 수밖에 없는 영광과 영화로움을 맛보는 자리였습니다.   그곳이 진정한 복음이 완성되는 자리였습니다. 잠시 잠깐이지만 하나님 아버지와 아들 예수그리스도의 동역을 통하여 하나님의 나라의 실체를 확인한 자리였습니다. 하나님의 나라는 우리 가운데 어떻게 역사하고 있을까요? 그것은 최소 30배 60배 이상입니다.

좋은 땅에 뿌려졌다는 것은 곧 말씀을 듣고 받아 삼십 배나 육십 배나 백배의 결실을 하는 자니라. / 신약성서 개역개정 마가복음 4장 20절

하나님은 이 땅 가운데 모든 인류가 함께 먹고 마실 수 있는 재화를 충분히 공급하셨다. 120억의 인구가 먹고도 남을 만큼의 식량이 생산되고 있다고 한다. 사과 한 그루에는 최소 60개에서 250개 이상 열매를 맺습니다. 심지어 조라고 하는 곡물에는 6500배 이상의 곡물이 열린다고 합니다. 하나님의 창조원리는 기하급수적입니다. 열리는 곡물 속에 과일 속에 또 씨앗이 들어있습니다. 그 씨앗은 또 다시 수십 배의 열매를 맺게 되어있습니다. 하나님은 단수 속에 복수의 원리를 심어 놓으셨습니다. 왜 그렇게 하셨을까요? 아담의 몸속에서 하와가 탄생했고, 하와의 몸속에 가인과 아벨, 지속적으로 수많은 생명의 부활과 탄생이 있습니다. 이러한 원리는 하나님의 나라의 원리입니다. 그러므로 욕심을 낼 필요도 이유도 없습니다. 사람이 욕심을 내기 때문에 생기는 비극을 이 하나님 나라의 원리만 알면 다 이겨낼 수 있는 단순한 것입니다.

* 완전한 복음으로 출발

오병이어의 사건은 단순한 보여주기가 아니라고 서두에서 말씀 드린바 있습니다. 이것은 하나님의 나라의 원형을 이 땅에서 보여주는 하나님의 나라

의 역사이며 그 상징이었습니다. 하나님의 나라는 시간, 공간 그리고 사람, 즉 공동체 안에 누가 있는가에 따라 달라지는 것입니다. 오병이어 사건 속에 그 중심에 오신 하나님의 나라이신 '예수 그리스도'가 함께 했습니다. 그리고 모든 것이 회복이 되었습니다. 즉, 영과 육으로 나아가는 완전한 복음의 시작이었습니다.

우리는 지금 타락의 세대에서 구속을 향해 나아가고 있으며 그 회복의 원형은 창조의 온전함에 있습니다. 우리(교회)는 이 하나님의 사명을 이루는 과정 가운데 있으며 전도와 선교의 목적 또한 모든 종족이 하나님께 나아와 예배드리게 하는 것이 그 시작인 것입니다.

우리가 복음전도를 통해 회복해야 할 것은 삶의 전체 영역입니다. 그것은 개인과 지역 공동체, 민족, 그리고 국가 전체가 하나님의 다스리심 가운데 온전해 지는 것에 있는 것입니다. 그러면 우리는 이 문제들을 해결할 그리스도인으로 어떤 성경적 대안이 있을까요?

복음은 오늘 우리 삶의 문제를 해결할 최선의 방법입니다. 복음은 불의로 인해 촉발된 기아와 기근, 빈곤의 문제에 대한 답을 제시 할 수 있어야 합니다. 이 땅에 많은 문제에 답을 줄 수 있는 것이 복음입니다. 그러므로 복음은 개인의 문제뿐만 아니라 이웃의 문제, 나아가 사회 구성원 전체의 문제를 함께 해결하는 것입니다. 우리는 사회적인 아픔이나 구조적 모순은 우리의 영역이 아니라고 하는 것은 무책임이며 착각입니다.

복음과 구원의 문제는 우리 사회 전체가 성경적 가치를 온전하고 올바르게 전해지고 지켜 질 때 가능한 것임을 알아야합니다. 그래야 복음이 온전하고 완전하게 그리고 보편적으로 확장 될 수 있습니다.

제 2 계명

모든 재화의 공급원 되신
창조주를 고백하라

태초에 하나님이 천지를 창조하시니라

/ 구약성서 개역개정 창세기 1장 1절

* 완전한 창조목록

하나님이 창조하신 창조 목록에 빠진 것이 있을까요? 우리를 창조하신 하나님은 피조물에 대해 모든 것을 공급할 수 없는데 우리를 창조하시지 않았을 것입니다. 왜냐하면 그분은 하나님이시고 그분은 창조주이기 때문입니다. 또한 과연 오늘의 현대를 사는 우리의 삶의 모습 속에서 경제적인 인과관계로만이 사는 것일까요? 절대로 그렇지 않습니다. 하나님은 오늘도 우리를 먹이시고 입히시는 하나님이십니다. 그런데도 불구하고 왜 굶주리고 상한 사

21

람들이 있을까요? 그것은 이 땅 가운데 주신 재화, 즉 하나님이 허락하신 우리에게 필요한 모든 창조물을 욕심으로 인하여 독점하거나 빼앗거나 썩히면서도 남에게 주지 않은 나눔과 공유가 없는 시대이기 때문입니다. 그것은 우리의 의식 가운데 서려 있는 나약함으로부터 출발합니다.

- 음식의 제국

오늘날 세계가 생산하는 식량의 총합은 대략 120억 명 정도가 먹을 수 있는 양(量)이라고 알려져 있습니다. 그럼에도 불구하고, 70억 명에 '불과'한 세계의 기아 문제는 좀처럼 개선되지 않고 있고, 북한에는 아직도 수많은 사람들이 기아로 죽어 가고 있는 것이 현실입니다. 개발도상국들은 해외 식량 원조가 중단될 경우 대량 아사(餓死)부터 영양 불균형까지 심각한 인구 문제에 직면하게 되는 반면, 선진국에서는 '많이 먹어서' 생기는 비만이 연일 심각한 사회 문제로 대두되고 있는 것이 현실입니다.

사실 엄청난 식량 생산에도 불구하고 2000년을 전후하여 생산량보다 소비량이 증가한 것은 개발도상국 인구의 급격한 증가 못지않게 적당량 이상으로 먹을 것을 찾아 헤매는 선진국과 신흥경제국 사람들이 있기 때문입니다. 이들 국가들도 굶주림의 고통에서 벗어난 지 얼마 되지 않았기 때문에 몸에 배인 기억에서 '있을 때 먹어두자'는 심리적 압박인지는 모르겠지만, 소화할 수 있는 양을 넘어 음식에 탐욕을 부리는 사람들과 그들이 남겨 놓은 많은 잔반들이 쓰레기 문제가 되어(가공된 음식들은 썩지 않는다), 결국 선진국들은 뚱뚱해진 사람들에 대한 사회적 비용과 더불어 그들이 남긴 음식물에 대해서도 덤으로 골머리를 앓고 있는 것이 오늘의 식량 생산과 분배의 심각한 문제입니다. / 음식의 제국 참고(웨번 디지 프레이저 외)

너를 낮추시며 너를 주리게 하시며 또 너도 알지 못하며 네 조상들도 알지 못하던 만나를 네게 먹이신 것은 사람이 떡으로만 사는 것이 아니요 여호와의 입에서 나오는 모든 말씀으로 사는 줄을 네가 알게 하려 하심이니라 / 구약성서 개역개정 신명기 8장 3절

만나 사건은 이스라엘 백성에게 많은 시사점을 던져 줍니다. 광야라는 곳은 어떤 곳일까요? 그곳에서는 어떤 것도 공급 받을 수 없는 곳입니다. 하나님은 그런 곳으로 이스라엘 백성을 인도하셨습니다. 물론 가나안을 가는 여정 이긴 합니다만 그래도 그곳의 삶을 상상해 볼 때 너무 황당한 여정일 뿐입니다. 낮의 뜨거운 태양을 구름으로 가려주시고 밤의 서늘한 추위를 불기둥으로 보호하시는 하나님을 이스라엘 백성은 확인하게 된 것입니다. 그리고 그들의 먹을거리도 하늘에서 직접 내려주시는 하나님, 이 하나님을 통해 이스라엘 백성의 의식주 전부, 즉 생존의 전부를 책임지시겠다는 하나님의 뜻이고 의지입니다.

광야는 그런 면에서 우리 인생과 같습니다. 우리 광야 같은 인생에서 유일

한 공급자이며 우리의 필요를 채우실 분은 오직 여호와 하나님이라는 고백을 이끌어 내는 하나님의 삶의 가르침이며 교육이었던 것입니다. 그것을 통해 이스라엘 공동체가 하나님 앞에 고백해야 할 것은 하나님의 공급에 대한 감사와 찬양뿐이었습니다. 그러나 현실은 그렇지가 않았습니다. 그들의 죄성은 여전히 하나님을 신뢰하지 못하는 불신의 삶을 살게 된 것입니다. 오늘 우리의 삶과 동일한 것입니다. 하나님은 살아계십니다. 그리고 지금도 역사하고 실존하고 계십니다. 그분을 고백하는 순간, 우리의 삶의 문제, 특히 경제적인 문제조차도 주님의 주권 아래 있다는 것을 기억해야 합니다.

- 하나님의 자원을 맘껏 쓸 수 있는 비결
' 허드슨 테일러에게서 배우는 101가지 교훈 '

중국 선교의 아버지로 알려진 허드슨 테일러의 신앙관의 핵심을 책입니다. 특히 재정적인 부분에서 이렇게 말하고 있습니다.

"우리는 잘못된 자리에 놓인 돈이나 잘못된 동기에서 주어진 돈을 둘 다 무서워 할 줄 알아야 한다. 만일 하나님께서 우리에게 조금 주시기로 한 돈은 얼마든지 가져도 된다. 그러나 부정한 돈이나 잘못된 자리에 놓인 돈은 절대 가지면 안 된다. 중국에도 하나님께서 빵과 고기를 실어 나르게 할 까마귀들 (엘리야를 먹이신 것처럼)이 얼마든지 있다. 우리에게는 크신 하나님께서 약속하신 그대로 행하실 것을 믿는 믿음이 필요하다"

"우리가 재정 지원을 위해 오직 기도에만 의존한다면, 다음과 같은 말씀들을 아주 진지하게 받아들이지 않으면 안 될 것이다.

"내가 내 마음에 죄악을 품으면 주께서 듣지 아니하시리라" / 구약성서 개역개정 시편 66편 18절

"여호와께서 .. 정직히 행하는 자에게 좋은 것을 아끼지 않으실 것임이니이다"/ 구약성서 개역개정 시편 84편 11절

"우리는 우리가 하고 있는 일의 어느 한 면도 하나님의 축복과 공급을 가로막는 일이 없도록, 정기적으로 점검하지 않을 수 없게 될 것이다. 하나님의 방식대로 이루어지는 하나님의 일에는 하나님의 공급이 절대로 제한되지 않을 것이다."

우리가 필요로 하는 것은 성령으로 충만한 하나님의 자녀들이 하나님의 일을 위해 자신을 드리는 것입니다. 이런 사람들이라면 절대 돈이 부족해서 일을 하지 못하게 되는 경우가 없을 것입니다.

나의 하나님이 그리스도 예수 안에서 영광가운데 그 풍성한 대로 너희 모든 쓸 것을 채우시리라 / 신약성서 개역개정 빌립보서 4장 19절

* 생명의 빵이신 그리스도

내가 곧 생명의 떡이니라./신약성서 개역개정 요한복음6장48절

요한복음의 예수님은 주님 스스로를 다양한 사물에 빗대어 설명하셨습니다. 주님은 결코 어떤 사물이 아니시며 그 무엇과도 비교될 수 없는 전능한 하나님이십니다. 그럼에도 불구하고, 주님 자신을 다양한 사물로 비유하여 설명하신 것은 우리가 주님을 잘 이해하고 믿을 수 있도록 우리의 눈높이에 맞추신 것입니다.

주님께서 이 영원한 생명 양식인 "하늘에서 내려온 빵"을 말씀하시기 전에 먼저 육체에 필요한 실제 빵을 제공하시는 오병이어의 기적을 보여 주셨습니다. 이것은 육체의 생명을 위해 빵을 먹어야 하는 것처럼 영적인 생명을 얻기 위해서는 하늘에서 내려온 빵이신 주님을 먹어야(믿어야)만 한다는 사실을 보다 쉽게 이해하고 받아들일 수 있도록 시각적으로 보여 주시는 것입니다.

출애굽 했던 이스라엘 백성들이나 요한복음 6장에서 생명의 빵으로 오신 주님 앞에 서 있는 유대인들이나 오늘날 현대를 살아가는 많은 사람들 역시 하나님을 찾고 있지만, 육신의 필요를 목적으로 하게 됩니다. 믿어서 무엇인가 경제적 이득 또는 건강한 몸을 갖기를 원합니다. 즉 예수 그리스도가 수

단으로서의 존재, 즉 빵으로서의 존재가 아니라, 빵은 또는 떡은 생명의 연장하는 에너지입니다. 우리의 영육의 완전한 생명은 바로 그 예수 그리스도를 온전하고 완전히 먹어야하는 것입니다. 먹는다고 했을 때, 그 먹음은 우리의 존재 아래의 사물, 음식으로서의 존재가 아니라 우리에게 영적으로 육적으로 힘을 주는 존재로서의 창조적 실존으로서의 존재위의 존재이며, 근원적 존재임을 말씀하고 계신 것입니다. 예수님은 계속해서 말씀하고 계십니다.

> 내 살은 참으로 양식이요 내 피는 참으로 음료이니 내 살을 먹고 내 피를 마시는 자는 내 안에 거하고 나도 그 안에 거하느니라. 살아 계신 아버지께서 나를 보내시매 내가 아버지로 말미암아 사는 것 같이 나를 먹는 그 사람도 나로 말미암아 살리라. / 신약성서 개역개정 요한복음 6장 55-57절 말씀

우리의 존재는 예수그리스도입니다. 그가 창조주 하나님을 통해서 우리에게 오셨고, 우리를 다시 생명으로 살리십니다. 한 번의 생명은 지속적으로 우리를 공급하고 계십니다. 떡으로 음료로 그리하여 우리가 주님 안에서 영생하는 생명으로 살게 하십니다. 이것은 영적인 부분과 육적인 부분 모든 것을 인도하고 가르치는 것입니다. 우리를 창조하신 하나님은 그의 외아들 예수 그리스도를 통해 온전하게 이 땅에서 하나님의 자녀로서 사는 삶의 원리는 그 공급된 것을 하나님의 것으로 고백하고 그것을 소유가 아니라 청지기

27

로서 맡아선 나누고 공유할 때 그 놀라운 역사가 일어나는 것입니다.

만약에 예수님을 어느 권력자나 돈 많은 부자가 독점해 버린다면 복음이 되지 못할 것입니다. 그러나 예수님은 그 누가 독점할 수도 없고 사유할 수도 없습니다. 예수님을 혼자서 독점하지 못하고 나누어줄 수밖에 없는 이 은혜가 복음입니다. 혼자만 갖고 참 좋다고 느낀다면 그것은 복음이 아닙니다. '혼자 가지면 화가 미칠 것 같구나'하고 느껴지는 은혜의 나눔이 복음입니다. 사도 바울은 "이 복음을 전하지 아니하면 내게 화가 있을 것임이로다."(신약성서 고린도전서 9장 16절)하였습니다. 우리들이 예수님을 믿는 은혜가 복음이 되었다면 이 복음을 나누어 주고 싶어서 견딜 수가 없어야 합니다.

만약에 나누어 주고 싶은 마음이 없다면 예수님이 나에게 복음이 되지 못했다는 증거일 수 있기 때문입니다. 성경은 나누는 삶을 가르치는 책입니다.

우리의 아버지 하나님은 나누어 주시는 분이십니다. 하나님은 아담과 하와에게 풍족하고 부족함이 없는 에덴동산을 주셨습니다. 심지어 멸망 받아 마땅한 우리를 살리시기 위해 독생자 예수 그리스도를 아낌없이 주셨습니다. 그리고 지금도 우리를 고아처럼 버려두지 않으시고 보혜사 성령님을 보내주셨습니다. 하나님 아버지의 아들 된 우리도 나누는 사람이 되어야 합니다.

사실, 빵의 원리는 생명의 원리입니다. 죄인 된 인생은 온전하고 완전한 회복은 영적인 자리로 가기 전에 빵과 떡이 보입니다. 그것을 통과하여 복음이 드러나며 영적인 모든 것이 회복됩니다. 그러므로 우리에게 주시는 하나님의 온전하고 완전한 복음의 계시는 우리에게 허락된 소유물을 나누고 공유하고 베풀 때 일어나는 것입니다. 놀랍게도 복음의 시작은 허락된 물질을 하나님의 것으로 고백하고 그것을 가난하고 고통 받는 자에게 나눌 때 역사하고 일어남을 선교의 역사 믿음의 역사에서 여실히 보여주고 있는 것이 사실입니다. 그러므로 하나님은 우리에게 허락된 모든 물질과 소유들을 거룩한 것으로 바꿔 나갈 때 즉, 허락된 재화를 하나님의 것으로 고백할 때 복음의 역사가 시작되는 것입니다.

제 3 계명

인생들의 삶의 원리는

하나님의 말씀임을 고백하고 결단하라

* 삶의 원리 : 여호와의 입에서 나오는 모든 말씀

하나님께서는 그분의 말씀을 통해 우리에게 모든 것을 공급하십니다. 그것은 영적인 것과 육적인 모든 것을 의미합니다. **"여호와의 입에서 나오는 모든 말씀"**에서 모든 말씀을 히브리어로 '콜'이라고 하는데 이것은 하나님께서 말씀하시는 모든 말을 의미합니다. 즉, 우리는 육적인 요구 때문에 떡에만 의지하는 것, 물질에만 의지하게 되는 것인데 그것은 삶의 원리가 아니라고 반박하고 있는 것입니다. '너희가 만나를 어떻게 공급 받았는가를 알아야 한다.'고 말씀하시는 것입니다. 만나가 목적이 되어서는 안 된다는 것입니다. 그 만나를 공급하시는 하나님의 말씀에 집중하여야하고 그 말씀을 하나라도 놓쳐서는 안 된다는 것입니다. 하나님의 모든 말씀에 집중하는 사람만이 하나님이 원하시는 방법으로 물질을 사용합니다. 그렇게 물질을 사용하게 되면 또한 물질이 더욱 끊임없이 채워지는 것입니다.

- 쓸 것을 공급하시는 하나님

위대한 성경교사인 아이언 사이드 박사는 갤리포니아의 프레스노에서 두 주일 동안 설교하던 도중에 무일푼 신세가 되었습니다. 그에게는 먹을 것을 한 주일 동안 사 먹을 돈도 남지 않았습니다. 호텔에서도 나가야 하고, 가방을 약국에 맡겨야 할 정도가 되었습니다. 그 때 아이언 아시드는 빌립보서 4장 19절을 생각하면서 불평했습니다. "왜 하나님께서는 나에게 아무런 도움도 주시지 않는단 말인가?" 하나님이 지키지 않으시는 것처럼 느껴져서 불평을 하였던 것입니다.

그날 밤 프레스노의 군청소재지 잔디밭에 있는 나무 밑에 앉았을 때 그는 기도와 묵상을 통하여 영적인 각성을 경험하였고, 그 후부터 일이 잘 풀렸습니다. 옛 친구들이 나타나서 점심도 사주었고, 머물 곳도 마련해 주었습니다. 더 놀라운 일은 우체국에서 아버지로부터 편지가 와 있었고, 추신에 "하나님께서는 오늘 내게 **빌립보서 4장 19절을 통해서 말씀하셨단다. 거기에 보면 하나님은 우리의 모든 필요를 채워주시겠노라고 말씀하셨단다.**" 라고 적혀 있었습니다.

아이언은 그 모든 것이 얼마나 생생하게 느껴졌는지 모릅니다. 나를 하나님께로 좀 더 가까이 인도하시려고, 그 동안 내가 간과한 것들을 보게 하시려고 그런 시련을 주셨다는 것을 알게 되었습니다. 하나님은 성도들의 쓸 것을 공급하시는 분입니다. 바로 당신에게! 그리고 당신의 손을 통하여 다른 사람에게! 그리고 당신의 입과 당신의 도움을 받은 사람들의 입술로 하나님을 찬양하게 하십니다. 넘치도록 말입니다.

* 하나님의 공급과 먼 감정들 : 원죄로 인한 불안

- 인간의 불안과 그 극복

불안과 공포의 차이 : 특정 대상에 대하여 두려움을 느끼는 공포와 달리 키르케고아(S. Kierkegaard) 자신이 구분한대로 불안은 인간에게 고유한 실존적 현실이라고 말합니다. 공포는 대상이 있고, 불안은 대상이 없는 심리적 상태를 말합니다. 불안은 심리학적, 정신학적으로 설명되는 것이 아니라고 합니다.

불안의 긍정적인 요소 : 자기를 찾아가는 계기가 됩니다. 미래를 준비하게 되고 그러한 과정을 통해 귀중한 성과를 얻습니다. 심리학이나 정신분석에서는 불안을 소멸되기 원하는 부정적인 증상이라고 하지만 절대 그렇지 않습니다.

존재론적 불안의 해결 요소 : 불안은 인간이 실존적으로 신 앞에서 자기를 찾아가게 하는 열쇠입니다. 즉, 인간에게는 분명히 심리학적으로 해명되어야 하는 불안과 더불어 정신분석학 등으로는 환원될 수 없는 존재론적 불안이 있습니다. 인간에게 불안은 보편적이고 신 앞에서 단독자적 실존이 인간에게 요청되는 것입니다.

성장통인 불안 : 인간은 불안을 통하여 오히려 자아의 변형(순수한 삶, 고상한 사람으로 살아야 하겠다. 등.)을 가져올 수 있습니다. 그런데 이런 이해는 보통 교사가 학생에게 지식을 전달하는 제도화된 교육활동의 범주로는 이해되지 않고 자신을 찾아 형성해 가는 과정을 통하여 성취될 수 있습니다. 즉, 부정적으로 생각한 불안을 통해 인간이 불안을 극복할 수 있다는 역설적인 현상이 나타나는 것입니다.

불안장애 : 누구나 불안한 마음은 있으나 정상인보다 더욱 상태가 심한 것을 의미합니다.

강박장애 : 쓸데없는 것인 줄 알면서도 자꾸 생각이 나는 것을 말합니다. 가령, 계단을 오를 때 계단세기, 버스타고가면서 전봇대세기 등입니다. 이것을 이겨내는 것은 분석하지 말고 자기 영역으로 인정하면 되는 것입니다.

불안 극복 방법 : 키르케고아에 의하면 불안은 인간이 하나님과 단독자적 실존의 관계를 통해서만 성취할 수 있는 단계를 하나님 아닌 다른 존재자인 인간과 자연등과 잘못된 변증법적 관계의 추구에서 존재론적으로 피할 수 없이 나타나는 현상입니다.

하나님만으로 행복을 찾아야 하는데 하나님이 아닌 다른 것에 찾을 때 불안이 찾아오는 것입니다. 즉 인간이 신 아닌 타자에게서 자신을 발견하려고 하기 때문에 소외가 나타나고 이런 왜곡된 결과는 불안의 현상인 것입니다. 이것은 어거스틴의 고백이기도합니다. / 쇠렌 키에르케고르

이르되 내가 동산에서 하나님의 소리를 듣고 내가 벗었으므로 두려워하여 숨었나이다. / 구약성서 개역개정 창세기 3장 10절

하나님과 단절은 인간을 불안과 공포, 그리고 절망적 심리 상태로 내 몰아가게 되었습니다. 또한 그것은 선악과 사건 이전의 하나님과 소통 단절로 인한 인간의 절대 고독과 불확실한 미래에 대한 끊임없는 두려움과 모든 시간과 공간 속에서의 창조주를 잃어버린 존재론적, 근원적 비극의 시작이었습니다. 그러한 주어진 시간은 사망으로 향하고 있었고, 공간은 황폐하고 황무해진 상태가 되어 버렸습니다. 인류의 실존과 그들의 죄성은 인간 안에서 해결할 수 있는 것이 아니었습니다.

- 2000년 범죄 18초마다 1건 꼴 발생

　지난 한 해 동안 전국적으로 살인은 9시간18분, 강도는 1시간36분, 강간은 1시간17분에 한 건씩 일어났다. 또 폭력은 1분35초, 절도 3분, 재산범죄 2분42초 등의 간격으로 한 건씩 발생했다. 이는 23일 경찰청이 지난 한 해 동안의 전국 범죄발생 평균빈도를 분석해 발표한 2000년 범죄시계에서 나타났다.

　우리보다 인구가 3배가량 많은 일본의 범죄시계는 99년 기준으로 살인 6시간56분, 절도 17초로 우리보다 발생빈도가 높았지만 강도 폭력 강간 재산범죄 등은 우리보다 발생빈도가 낮았다. 특히 강간범죄의 경우 일본은 4시간43분만에 한 건씩 발생하는데 비해 우리나라는 1시간17분마다 한 건씩 발생, 3.7배나 높은 발생빈도를 보였다.

　우리보다 인구가 5배가량 많은 미국의 범죄시계는 99년 기준으로 살인 34분, 강도 1분, 강간 6분, 절도 5초, 폭력 22초, 재산범죄 3초 등으로 모든 범죄의 발생빈도가 우리와 일본보다 높았다.

　한편 총 범죄 발생건수를 기준으로 한 우리나라 범죄시계는 70년 1분32초마다 한 건씩에서 80년 51초, 90년 27초로 빨라져 지난해에는 18초마다 한 건씩 발생한 것으로 니타났다. / 2001. 07. 23(월) 동아일보

* 공급의 출발 – 십자가

그의 십자가의 피로 화평을 이루사 만물 곧 땅에 있는 것들이나 하늘에 있는 것들이 그로 말미암아 자기와 화목하게 되기를 기뻐하심이라 / 신약성서 개역개정 골로새서 1장 20절

- 십자가 고통의 의미

미국의 어느 목사님이 농부의 집에 하숙을 하고 있었다. 그 농부는 예수를 믿지 않고 그 부인은 늘 남편을 위해 기도하고 있었다. 그 목사님이 그리스도의 십자가의 죽음의 의미를 그에게 설명할 기회를 찾고 있었는데 하루는 아침에 그 농부가 목사님을 부르더니 닭장엘 같이 가보자고 했다.

가보니까 그 닭장 둥우리에 암탉이 앉아 있는데 그 날개 밑에서 막 병아리들이 삐약 삐약 소리를 내면서 한 마리씩 기어 나오고 있었다. 그런데 그 농부가 그 암탉을 건드려 보라고 해서 툭 건드렸더니 그 암탉은 죽어 있었다.

농부가 말하기를 "저 머리에 상처를 보십시오. 족제비란 놈이 그 몸에서 피를 다 빨아 먹었는데도 그 놈이 새끼들을 잡아 먹을까봐 꼼짝도 하지 않고 그대로 죽은 것입니다."

그때 목사님은 "오! 저것이 바로 그리스도와 같습니다. 그는 십자가에서 모

든 고통을 참으셨습니다. 예수님은 움직일 수도 있고 십자가에서 내려와 자기 생명을 구원할 수도 있었으나 그렇게 되면 당신과 나는 멸망받기 때문입니다." 그 농부는 그 뜻을 깨닫고 즉시 그리스도를 자신의 구주로 모셔 들였다고 한다.

하나님의 공급을 경험하기 위해 절대적으로 필요한 것이 예수 그리스도의 십자가 사건입니다. 궁극적으로 우리의 필요를 채워 주실 이와 화목해야 하는 길만이 우리가 하나님의 자녀로서 이 땅에서 복된 삶이 되는 것입니다. 그것은 이 땅에서 더 이상 우리가 노예로 살지 않는 것입니다. 먹고 살기 위해 존재하는 인생이 아닙니다.

> 땅이 네게 가시덤불과 엉겅퀴를 낼 것이라 네가 먹을 것은 밭의 채소인 즉 네가 흙으로 돌아갈 때까지 얼굴에 땀을 흘려야 먹을 것을 먹으리니 네가 그것에서 취함을 입었음이라 너는 흙이니 흙으로 돌아갈 것이니라 하시니라 / 구약성서 개역개정 창세기 3장 18-19절

땅이 가시와 엉겅퀴를 내어 인생은 그것을 평생 갈아야 사는 자리에서 창조 세계 모두와 화목해야 모든 인생은 그 길에서 죄의 포로로서 노역의 삶이 아닌 예수 십자가 아래서 사명의 삶을 살아 갈 수 있는 것입니다. 하나님과 화목 하는 유일한 길이 예수 그리스도, 그리고 그 십자가를 우리가 고백하고 체험하는 것입니다.

주 여호와의 영이 내게 내리셨으니 이는 여호와께서 내게 기름을 부으사 가난한 자에게 아름다운 소식을 전하게 하려 하심이라 나를 보내사 마음이 상한 자를 고치며 포로 된 자에게 자유를, 갇힌 자에게 놓임을 선포하며 / 구약성서 개역개정 이사야 61장 1절

하나님의 영, 성령이 함께 하시는 역사를 통해 우리는 십자가 그 은혜로만, 즉 믿음으로만이 하나님과 화목하며, 하나님을 고백하고 예수 그리스도를 구주로 영접하는 그 자리에서 이제 노예가 아닌 하나님의 자녀, 사명자로 살아갈 수 있습니다. 그것만이 우리를 자유롭게 하며 이제 아픔과 공포, 그리고 두려움을 이겨 낼 수 있기에 주님 안에서 모든 것을 공급 받을 수 있는 은혜와 믿음이 발생하는 것입니다.

- **곱하기 십자가**

십자가를 세워 놓고 보면 더하기표가 된다. 그러나 십자가를 등에 지면 곱하기표로 변한다. 기독교는 더하기의 종교보다 훨씬 더 많은 것을 얻게 하는 곱하기의 종교다.

100만원에 100만원을 더하면 200만원이다. 그러나 100만원에 100만원을 곱하면 10억 원이 된다. 더하기의 신앙생활에서 벗어나야 한다. 이해타산적인 사람은 희생의 십자가를 지지 않는다.

곱하기 십자가를 지는 사람은 구습을 쫓는 옛사람을 못 박는 십자가를 진다. 이 십자가는 이미 예수님이 지신 십자가에 포함된 십자가다. 죄인 된 나를 위해 주님

이 십자가를 질 때 죄인 된 나는 죽었다. 우리가 져야 할 십자가는 많은 열매를 맺기 위해 땅에 떨어져 죽는 밀알이 되는 십자가다.

사명의 십자가다. 남을 구원하기 위해 고난과 수치 받음을 영광으로 생각하는 자가 사명의 십자가를 지는 자다. 그로 인하여 수많은 영혼이 구원을 받는다. 그리하여 건강한 그리스도인은 사명의 십자가를 짐으로 곱하기의 기적을 이룬다. / 최낙중 목사(해오름교회)

완전한 회심은 삶의 가치를 완전히 바꾸어 버릴 수 있습니다. 예수 그리스도를 경험하고 주님의 제자로 사는 사람의 삶을 믿음의 삶이라고 합니다. 믿음은 이론이 아니고 실제적으로 일어나는 현상입니다. 그래서 하나님으로부터 온전한 고백을 하는 사람은 물질을 위해 사는 것이 아니라, 주님을 위해, 하나님의 영광을 위해 살기 때문에 물질이 도구이며, 그 물질이 선한 곳으로 쓰일 수밖에 없습니다. 그러므로 그에게 하나님의 공급은 생명을 살리고 구원으로 이끌어 가는 도구이며, 영혼 구원의 과정입니다. 그래서 마가복음 9장에 향유 옥합을 깨뜨렸던 여인의 거룩한 낭비는 우리에게 시사 하는 것이 많습니다. 그렇게 예수 그리스도를 고백하고 경험하는 삶은 우리의 지갑마저 거룩하게 할 것입니다.

예수께서 베다니 나병환자 시몬의 집에서 식사하실 때에 한 여자가 매우 값진 향유 곧 순전한 나드 한 옥합을 가지고 와서 그 옥합을 깨뜨려 예수의 머리에 부으니 어떤 사람들이 화를 내어 서로 말하되 어찌하여 이 향유를 허비 하는가 이 향유를 삼백 데나리온 이상에 팔아 가난한 자들에게 줄 수 있었겠도다 하며 그 여자를 책망하는지라 예수께서 이르시되 가만 두라 너희가 어찌하여 그를 괴롭게 하느냐 그가 내게 좋은 일을 하였느니라 가난한 자들은 항상 너희와 함께 있으니 아무 때라도 원하는 대로 도울 수 있거니와 나는 너희와 항상 함께 있지 아니하리라 / 신약성서 개역개정 마가복음 14장 3-7절

- 가장 많이 생각하는 것

월간잡지 MONEY의 통계조사에 의하면, 미국인의 82%가 가장 많이 생각하는 것이 돈이라고 한다. 동시에 미국인의 53%가 최고로 걱정하는 것도 돈이라고 합니다.

우리 인생은 늘 물질 속에 살아가고 있습니다. 세상에서 가장 바른 지혜는 그 물질을 잘 다스리는 것입니다. 오직 하나님께 모든 것을 의지하는 믿음일 때만이 온전한 공급을 누릴 수 있습니다. 소유가 아니라 물질 청지기로 사명자로서 물질을 하나님으로부터 공급 받아, 생명 살리는 곳으로 거룩한 소비를 행할 때 우리는 주님 안에서 자유 할 수 있습니다. 우리의 마음은 예수 그리스도에게 있어야합니다.

너희를 위하여 보물을 땅에 쌓아 두지 말라 거기는 좀과 동록이 해하며 도둑이 구멍을 뚫고 도둑질 하느니라 오직 너희를 위하여 보물을 하늘에 쌓아 두라 거기는 좀이나 동록이 해하지 못하며 도둑이 구멍을 뚫지도 못하고 도둑질도 못하느니라. 네 보물 있는 그 곳에는 네 마음도 있느니라. / 신약성서 개역개정 마태복음 6장 19-21절

* 교회가 채택해야 할 물질관

하나님이 허락하신 교회는 결단코 바알의 물질관이 되어서는 안 됩니다. 하나님의 교회는 예수 그리스도를 머리로 하고 하나님께 영광을 돌리는 구별된 공동체입니다. 그 영광이라는 것은 부름 받은 자들의 예배를 통해서 그리고 그들의 삶을 통해서 드러나게 되어있습니다. 그것은 예수 그리스도의 말씀으로 세워지는 공동체의 모든 일원은 세상으로 파송되어집니다. 세상에서도 빛과 소금의 역할을 감당하기 위해서 필요한 것이 무엇일까요? 그것은 세상 속에서 하나님을 고백하고 그 말씀대로 사는 것입니다. 특별히 사람들의 마음이 가고 있는 보물, 즉 물질에 대해서 신앙고백이 이루어져야 하는 것입니다.

하나님께서 한국 교회에 많은 축복을 허락하셨습니다. 그중에서도 수많은

대형교회를 통해 하나님의 일을 하게 하셨습니다. 하나님의 교회는 '바알의 물질관'인 소유에 있으면 절대 안 됩니다. 성경적 물질관을 실천해야할 곳이 하나님의 교회입니다. 하나님께서 많은 중대형교회를 통해 우리 주변에 빈곤과 아픔 속에 있는 자들을 생색내기가 아니라 구체적으로 그들을 구제해야하고 그것이 전도적 기능을 넘어서야한다고 생각합니다. 무조건 베풀어야 하는 것이 교회입니다. 왜냐하면 그것은 우리 것이 아니고 하나님이 우리에게 맡기신 것이기 때문입니다. 더 나아가 선교지, 특별히 북한의 동포들을 위해서 우리에게 많은 물질을 허락하셨습니다. 교회나 특정 일부의 소유가 아닙니다. 교회의 신아고백은 고아와 나그네와 압제된 자를 위해서 허락하신 물질을 성경적으로 고백하고 사용해야 합니다. 그것이 하나님의 교회가 채택해야 할 물질관입니다. 이것을 하나님이 오늘도 우리 가운데 이루시길 원합니다.

모든 성도들이 하나님의 교회가 하는 신앙고백은 무기력한 것이 아니라 능력과 권세로서 나타날 것입니다. 왜냐하면 거기에 성령하나님이 함께 하실 것이기 때문입니다.

제 4 계명

땅을 하나님께로 돌려라

- 성경적 경제 정의의 출발 : 토지

* 불편한 동거 - 땅과의 불화

하나님이 자기 형상 곧 하나님의 형상대로 사람을 창조하시되 남자와
여자를 창조하시고 28.하나님이 그들에게 복을 주시며 하나님이 그들에
게 이르시되 생육하고 번성하여 땅에 충만 하라, 땅을 정복하라, 바다
의 물고기와 하늘의 새와 땅에 움직이는 모든 생물을 다스리라 하시니
라 / 구약성서 개역개정 창세기 1장 27-28절

하나님의 창조 명령, 문화 위임 령은 오직 인간에게만 위임하셨습니다. 유
지하고 다스리고 관리하라고 주셨고, 그 명령을 내리신 분은 모든 생물들을
관리할 만한 지혜와 총명을 주셨습니다. 그래서 우리를 청지기라고 합니다.
왜냐하면 우리는 나님의 형상대로 지어졌기 때문입니다.

하나님의 형상대로

하나님의 형상은 히브리어로 '빼찰루메누' 그 의미는 '그림자', '실체의 모양을 닮은' 이라는 의미를 가지고 있습니다. 하나님과 우리가 완전한 신의 성품으로 같은 것이라고 볼 수는 없으나 하나님의 창조물을 다스릴 수 있는 하나님의 형상이 우리에게 있었던 것입니다.

피카소의 조각 "황소 머리"는 값을 매길 수 없을 만큼 가치 있는 예술품인데 그 재료는 쓰레기 처리장에 가서 얻어 온 낡은 자전거라고 합니다. 피카소는 "쓰레기는 위대한 가능성을 가졌다."라고 말했습니다. 중요한 것은 쓰레기에 누구의 손과 두뇌가 닿느냐하는 것입니다. 피카소의 손이 닿았을 때 버려진 자전거는 쓰레기가 아닌 예술품으로 다시 태어났습니다. 이와 같이 우리는 하나님이 위대한 작품으로서 세상 가운데 있는 것입니다. 그리고 그렇게 창조 세계 모든 것을 다스릴 수 있는 권한을 부여 받은 존재입니다.

* 불순종 - 청지기에서 노예로 전락

아담에게 이르시되 네가 네 아내의 말을 듣고 내가 네게 먹지 말라 한 나무의 열매를 먹었은즉 땅은 너로 말미암아 저주를 받고 너는 네 평생에 수고하여야 그 소산을 먹으리라 땅이 네게 가시덤불과 엉겅퀴를 낼 것이라 네가 먹을 것은 밭의 채소인즉 네가 흙으로 돌아갈 때까지 얼굴에 땀을 흘려야 먹을 것을 먹으리니 네가 그것에서 취함을 입었음이라 너는 흙이니 흙으로 돌아갈 것이니라 하시니라 / 구약성서 개역개정 창세기 3장 17-19절

세상을 다스리고 관리하는 능력과 은혜 속에 있어야 할 우리는 그 하나님의 명령에 불순종하여 세상을 다스리지 못하고 그저 파괴하고 우리의 욕심과 욕망에 따라 살아가게 되었습니다. 그리고 우리는 하나님의 형상을 잃어버리게 되었고 그 결핍으로 인하여 우리는 하나님의 형상으로서의 하나님의 뜻을 생각하는 인생에서 자기의 생존을 연연해하는 존재로 전락되었습니다.

땅은 너로 말미암아 저주를 받고 너는 네 평생에 수고하여야

하나님이 허락하신 땅은 철저하게 무너졌고, 그리고 그 땅에서는 가시와 엉겅퀴가 나고 그것을 제거해야하는 수고로움이 인생에게 주어졌습니다. 하나님의 거룩한 땅, 축복의 땅은 인간의 죄성으로 인해 그렇게 무너졌던 것입니다. 땅을 갈아야합니다. 땅은 흙입니다. 다시 말하면 아담은 그리고 우리 인생은 자기 자신을 갈아야 먹고 살 수 있습니다. 겨우 입에 풀칠 정도 할 수 있습니다. 이러한 노역의 삶을 살아야 하는 것이 인생입니다. 자기 인생이 하나님의 영광과 그리고 그의 창조 세계 모두를 다스리는 자리에서 창조 세계의 노예가 되어서 사는 지옥 같은 인생을 살기에 그들의 마음에 죄악이

가득하고, 약함으로 인해 악이 관영하는 인생으로 사는 것입니다. 그리고 사람들을 함께 사는 공존의 대상과 사랑의 대상이 아니라 미움의 대상, 싸움과 경쟁의 대상이 되어 가는 것입니다.

- **누군가의 노예**

어떤 사람을 미워하기 시작하는 순간부터 나는 그의 노예가 되고 만다. / 맥밀런(정신과 의사)

미워하는 누군가로 인해 자신도 모르게 위축되고 때로는 분노가 일어난다면, 마음의 중심을 잡지 못하고 안절부절 하거나 뒤척이며 잠들지 못하고 있다면 우리는 이미 그 누군가에게 (미움이라는 감정의) 노예상태가 된 것입니다. 그리고 그 (미움이라는 감정의) 노예상태는 우리가 미움의 싹을 잘라버리지 않는 이상 언제까지고 우리를 괴롭히게 됩니다. 미움의 노예가 되는 것을 경계하십시오. 미움의 감정이 우리의 삶을 잠식하지 않도록 늘 깨어 기도하며 현상에 얽매이기 보다는 하나님의 말씀에 의지하며 나아가십시오. 주님의 군사로 힘써 싸우되 전쟁은 우리의 몫이 아님을 잊지 마십시오.

부족함을 느끼고 결핍을 느끼는 순간 사람은 오직 자신만이 가득하게 됩니다. 그것으로 인하여 이기적인 욕망은 끝이 없게 되고 충분히 가졌음에도 불구하고 사람은 계속 결핍 상태가 되는 것입니다. 왜냐하면 사람의 만족과 충

46

족은 물질이 아니기 때문입니다. 그러므로 물질을 관리할 만한 영적인 상태, 즉 하나님의 형상이 복원 되지 않은 상태에서는 온전한 물질 관리를 할 수가 없습니다. 그래서 인간은 정신적, 영적인 노예상태입니다. 이것을 이겨내지 못하면 온전한 성경적 경제 관리를 할 수가 없게 됩니다. 영과 육은 분리 되어 있지 않고 하나입니다. 온전한 물질 관리를 위해서는 영적으로 바로 서는 것이 가장 중요합니다.

* 나봇의 비극은 인류의 비극

그 후에 이 일이 있으니라 이스르엘 사람 나봇에게 이스르엘에 포도원이 있어 사마리아의 왕 아합의 왕궁에서 가깝더니 아합이 나봇에게 말하여 이르되 네 포도원이 내 왕궁 곁에 가까이 있으니 내게 주어 채소 밭을 삼게 하라 내가 그 대신에 그보다 더 아름다운 포도원을 네게 줄 것이요 만일 네가 좋게 여기면 그 값을 돈으로 네게 주리라 나봇이 아합에게 말하되 내 조상의 유산을 왕에게 주기를 여호와께서 금하실지로다 하니 이스르엘 사람 나봇이 아합에게 대답하여 이르기를 내 조상의 유산을 왕께 줄 수 없다 하므로 아합이 근심하고 답답하여 왕궁으로 돌아와 침상에 누워 얼굴을 돌리고 식사를 아니하니 그의 아내 이세벨이 그에게 나아와 이르되 왕의 마음에 무엇을 근심하여 식사를 아니하나이까 왕이 그에게 이르되 내가 이스르엘 사람 나봇에게 말하여 이르기를 네 포도원을 내게 주되 돈으로 바꾸거나 만일 네가 좋아하면 내가 그 대신에 포도원을 네게 주리라 한즉 그가 대답하기를 내가 내 포도원을 네게 주지 아니하겠노라 하기 때문이로다 그의 아내 이세벨이 그에게 이르되 왕이 지금 이스라엘 나라를 다스리시나이까 일어나 식사를 하시고 마음을 즐겁게 하소서 내가 이스르엘 사람 나봇의 포도원을 왕께 드리리이다 하고 아합의 이름으로 편지들을 쓰고 그 인을 치고 봉하여 그의 성읍에서 나봇과 함께 사는 장로와 귀족들에게 보내니 그 편지 사연에 이르기를 금식을 선포하고 나봇을 백성 가운데에 높이 앉힌 후에 불량자 두 사람을 그의 앞에 마주 앉히고 그에게 대하여 증거 하기를 네가 하나님과 왕을 저주하였다하게 하고 곧 그를 끌고 나가서 돌로 쳐죽이라 하였더라 그의 성읍 사람 곧 그의 성읍에 사는 장로와 귀족들이 이세벨의 지시 곧 그가 자기들에게 보낸 편지에 쓴 대로 하여 금식을 선포하고 나봇을 백성 가운데 높이 앉히매 때에 불량자 두 사람이 들어와 그의 앞에 앉고 백성 앞에서 나봇에게 대하여 증언을 하여 이르기를 나봇이 하나님과 왕을 저주하였다 하매 무리가 그를 성읍 밖으로 끌고 나가서 돌로 쳐 죽이고 이세벨에게 통보하기를 나봇이 돌에 맞아 죽었나이다 하니 이세벨이 나봇이 돌에 맞아 죽었다 함을 듣고 이세벨이 아합에게 이르되 일어나 그 이스르엘 사람 나봇이 돈으로 바꾸어 주기를 싫어하던 나봇의 포도원을 차지하소서 나봇이 살아 있지 아니하고 죽었나이다 아합은 나봇이 죽었다 함을 듣고 곧 일어나 이스라엘 사람 나봇의 포도원을 차지하러 그리로 내려갔더라 나봇의 포도원 강탈 사건은 폭력적인 정권이었던 아합과 이방 여인 이세벨의 죄악과 욕망의 결과입니다. 하나님이 기업으로 주었던 포도원은 절대 사유가 될 수 없고 대대로 나봇의 지파인 유다지파의 땅이었습니다. 그것은 사고 팔 수 있는 성질의 것이 아닙니다. 이세벨은 바알의 경제 즉 욕망이 극도로 발현된 제도를 가지고 나봇의 포도원을 사유화해 버렸습니다. 땅은 하나님의 것입니다. 인간의 개인 소유물이 될 수 없는 것입니다.

이 비극은 결국 이스라엘 안에 토지에 대한 이해가 달라졌고 땅이 있는 자와 없는 자의 나누어짐은 부와 빈곤의 양극화로 결국은 인류 전체의 타락한 경제 문화를 잉태하게 된 것입니다. 물론 당시의 이방 문화는 여전히 이러한 죄악 속에 있었던 것은 사실입니다. 그러나 적어도 하나님의 선민이었던 이스라엘도 이방 화되어 가지 말았어야 하는 것입니다. 이스라엘이 왜 선민입니까? 그들은 하나님을 섬기는 유일신의 믿음, 그리고 그들의 신정 통치의 삶의 모습, 특히 성서적 경제관을 통해 이방 사람들에게 모범이 되어야 할 공동체였습니다. 그러나 그들은 도리어 하나님의 백성에서 바알을 섬기는 폭력적이고 차별적인 경제 문화에 물들어 버린 것입니다. 이러한 타락된 토지 제도를 통해 이스라엘 땅에 빈곤이 찾아오게 된 것입니다.

제 5 계명

불순종이 우리를 가난하게 한다는 것을
반드시 기억하라.

* 하나님의 구속사 : 영적 회복은 육적치유와 빈곤의 회복

네가 만일 네 하나님 여호와의 말씀만 듣고 내가 오늘 네게 내리는 그 명령을 다 지켜 행하면 네 하나님 여호와께서 네게 기업으로 주신 땅에서 네가 반드시 복을 받으리니 너희 중에 가난한 자가 없으리라 / 구약성서 개역개정 신명기 15장 4절 - 5절

- 빈곤은 교회의 책임이다

유엔 통계에 의하면 세계 인구의 약 사분의 일 가량이 빈곤으로 말미암아 기아 상태에 있다고 합니다. 60억 지구 인구 중 27. 2%에 해당하는 16억 2,000만 명이 기아 상태에 있다는 보도입니다. 이는 하루에 약 40,000명의 어린이가 기아로 죽고 있는 꼴이 됩니다. 또한 빈곤인구의 61.6%가 아시아

에 살고 있으며 나라별로는 인도가 제일 많은 빈곤 인구를 가지고 있습니다. 어떤 미래 학자는 지구는 약 110억의 인구가 살아도 넉넉하게끔 만들어져 있다는 분석을 내놓았습니다. 그런데 소득의 불균형과 인간의 자연 파괴로 말미암아 인간 스스로가 빈곤이라는 자업자득의 고통을 초래했습니다.

기독교는 확실히 세계의 기아문제에 책임이 있습니다. 더욱이 교회는 이 문제에 책임의식을 가지고 적극적인 자세로 대처해 나갈 필요가 있습니다. 오병이어의 사건에서 예수님께서는 제자들이 아무 것도 가지고 있지 않은 것을 아셨지만 "너희가 먹을 것을 주라"고 하셨습니다. 이 말씀은 아무리 없어도 먹을 것을 주어야 하는 책임이 우리에게 있음을 말씀하시는 것입니다. 또한 주님이 가르치신 기도에서 "우리에게 일용할 양식을 주소서"라는 간구가 비중 있게 나오고 있습니다. 이 말씀은 온 세계인들을 향해 그 날에 족한 양식을 달라고 기도하라는 가르침입니다. 이 기도는 우리가 남의 것을 빼앗을 만큼 욕심을 부리지 않겠다는 기도이며 나의 양식만 아니라 모두의 양식에 관심을 가지겠다는 약속이기도 합니다. / 이성희 목사(연동교회)

네 하나님 여호와의 말씀만 듣고

하나님은 항상 우리에게 말씀하십니다. 그리고 그 말씀을 통해 우리의 삶의 내용을 인도하시고 이끄시고 함께 하시길 원하십니다. 하나님께서 왜 인간의 언어를 통해 우리에게 성경을 허락하십니까? 그것은 소위 이론적인 것에 급급한 공자 왈, 맹자 왈의 의미가 아닙니다. 사변적이거나 문자적 의미에 그치는 것이 아닙니다.

- **말씀의 능력**

다음은 미국의 정치가요 웅변가였던 윌리엄 제닝스 브라이언이 남긴 글입니다.

"나는 수박씨의 힘을 관찰해 본 적이 있다.

수박씨에는 흙을 밀어젖히고 나오는 힘이 있다.

그것은 자기보다 20만 배나 더 무거운 것을 뚫고 나온다.

수박씨가 어떻게 이런 힘을 내는지 알 수 없다.

도저히 모방할 수 없는 색을 껍질 바깥으로 우러나오게 하고,

그 안쪽에 하얀 껍질, 그 안쪽에 다시 검은 씨가 촘촘히 박힌

붉은 속을 어떻게 만들어 낼 수 있는지 나는 알 수 없다.

그 하나하나의 씨는 또 다시 차례차례

자기 무게의 20만 배를 뚫고 나올 것이다.

이 수박씨의 신비를 설명할 수 있다면,

나도 신의 신비를 설명해 주겠다."

저는 이 글을 읽으면서 생명 씨앗인 말씀의 가능성을 더욱 확고히 깨달았습니다. 말씀은 씨앗입니다. 수박씨와는 비교할 수 없는 능력이 말씀의 씨앗

속에 담겨 있습니다.

이 말씀을 받으면 구원을 얻습니다.

이 말씀을 받으면 마귀의 유혹을 이깁니다.

이 말씀을 받으면 세상이 감당할 수 없는 용기를 얻습니다.

그러나 하나님이 아무리 말씀을 많이 부어 주셔도 마음이 닫혀 있으면 말씀을 받을 수가 없습니다. 하늘에서 내리는 빗물을 받기 원한다면 그릇을 준비해야 합니다. 그리고 그 그릇은 열려 있어야 합니다. 아무리 하늘에서 소낙비가 내린다 할지라도 그릇이 닫혀 있으면 빗물을 받을 수 없습니다.

열린 마음이란 믿음의 마음입니다. 하나님의 말씀을 받을 때는 믿음으로 받아야 합니다. 믿음으로 말씀을 받는다는 것은 순종한다는 것을 의미합니다. 말씀을 받고 순종할 때 우리 삶은 변화됩니다. / 자람의 법칙 강준민 생명의 삶

하나님의 말씀이 살아있다는 의미는 무엇일까요? 그리고 그것이 '날선 검'이라는 이유는 그 말씀이 우리 인생의 삶의 내용을 좌우하고 인도하고 가르치기 때문입니다. 그리고 그 말씀의 역사는 성경의 하나님의 사람들이 증언하고 성경 이후부터 지금의 세대에도 그 하나님의 말씀의 능력이 있다는 것

을 보여주고 있는 것이 사실입니다. 그러므로 성경은 우리에게 삶의 길을 제시하고 있습니다. 그 삶속에 영적인 부분과 함께 육적인 부분, 특히 경제적인 부분도 제시하고 있는 것이 사실입니다.

하나님의 말씀을 듣고 묵상하고 실천해야만 우리의 삶에서 경제적인 부분도 거룩하게 해결하고 하나님의 인도를 받기에 견고하게 세워질 수 있는 것입니다. 그러므로 하나님의 말씀을 듣는 연습이 중요하다. 그렇게 들을 때 하나님의 역사는 우리에게 와서 실제적으로 구체적으로 마음, 생각, 뜻을 판단하여 행동으로 이끄는 것입니다.

하나님의 말씀은 살아 있고 활력이 있어 좌우에 날선 어떤 검보다도 예리하여 혼과 영과 및 관절과 골수를 찔러 쪼개기까지 하며 또 마음의 생각과 뜻을 판단하나니 / 신약성경 개역개정 히브리서 4장 12절

내가 오늘 네게 내리는 그 명령을 다 지켜 행하면

인간의 죄성은 불순종입니다. 우리는 어떻게 하면 순종하는 자리로 나갈 수 있을까요? 그것은 매우 간단합니다. 하나님의 말씀을 정확하게 읽고 묵상하는 것입니다. 순종이란 우리의 의지를 하나님께 헌신하는 것이고 그분에게 드리는 일입니다. 우리가 예수님을 믿는다고 한다면 그것은 감정만이 아니

라, 우리의 지성, 의지, 감정 모두가 예수님을 믿는 행위로 나가는 것입니다. 우리가 예수님을 믿었다고 했을 때는 우리의 전인이 예수 그리스도를 고백합니다. 그것은 앞서 함께 나누었던 하나님의 말씀을 온전히 듣습니다. 오직 하나님의 말씀을 정확하고 견고하게 듣는 자는 그 말씀의 능력이 있기 때문에 그 말씀의 능력이 이미 한 사람을 변화시키고 순종의 자리로 이끌어 갈 수 있습니다. 왜냐하면 하나님의 말씀에는 하나님의 능력이 내재되어 있습니다. 그분이 말씀이기에 그분 안에는 인간들을 변화시키고도 남을 창조주의 힘과 권세가 있기 때문입니다.

내가 복음을 부끄러워하지 아니하노니 이 복음은 모든 믿는 자에게 구원을 주시는 하나님의 능력이 됨이라 먼저는 유대인에게요 그리고 헬라인에게로다 복음에는 하나님의 의가 나타나서 믿음으로 믿음에 이르게 하나니 기록된바 오직 의인은 믿음으로 말미암아 살리라 함과 같으니라. / 신약성서 개역개정 로마서 1장 16-17절

- 순종의 300파운드
스펄전 목사는 타 도시에서 자기가 돌보는 런던의 고아들을 위해 300파운드(약 40여만 원)를 모금했다. 그런데 기도하던 중

"그 돈을 조지 뮬러 목사에게 갖다 주라"는 음성을 들었습니다. "오! 주님, 저희 고아들도 이 돈이 필요한데요."

55

그러나 그 음성은 사라지지 않았습니다.

"네, 주님. 순종하겠습니다. 스펄전 목사는 그 돈을 들고 뮬러에게 갔습니다. 뮬러는 무릎을 꿇고 기도하고 있는 중이었습니다.

"죠지, 하나님께서 내가 모금한 300파운드를 당신에게 주라고 해서 가져왔소."

"스펄전 목사님, 저는 지금 바로 300파운드를 위해 기도하고 있는 중이었는데요"

두 사람은 손을 잡고 눈물을 흘리며 함께 기뻐했습니다. 스펄전 목사가 사무실에 돌아오니 책상 위에 편지가 하나 와 있었는데 300기니(약 48만 원 정도)의 헌금이 들어있었습니다.

"주여, 제 300파운드에 이자까지 보태서 주시는군요!"

그는 감격하여 감사를 드렸습니다.

"가난한 자를 불쌍히 여기는 자는 주님께 빌려드리는 것이니 그가 준 것을 주께서 갚아 주시리라"(구약성서 개역개정 잠언 19장 17절) / 김상복 목사

성령은 말씀의 영이십니다. 그분은 가장 미쁘사 우리 가운데 행함으로 다가오십니다. 주님의 말씀을 행할 능력을 우리에게 허락하셨습니다. 우리의

죄성을 이겨내고 우리 가운데 오셔서 우리에게 거룩한 능력을 행하라고 말씀하십니다. 그래서 여호수아서에서도 계속 말씀하십니다. "두려워 말라 놀라지 말라" 우리 인생은 너무나 연약하고 약하기 때문에 그 약함에서 스스로 고통을 주고 스스로 나약해 지는 것입니다. 이제 우리는 주님이 주신 능력으로 언제든지 행할 수 있습니다. 이것이 믿음이고 이것이 말씀의 능력입니다.

성경이 말씀하고 계신 모든 명령어에는 이러한 요구만 있는 것이 아닙니다. '원수를 사랑하라!'고 하셨으면 원수를 사랑할 수 있는 하나님의 사랑의 능력을 이미 우리에게 허락하신 것인 것을 다시 한 번 확인하십시오. '항상 기뻐하라!'고 하셨으면 우리가 항상 기뻐할 수 있는 기쁨의 근원과 기쁨의 내용을 이미 우리에게 충만하게 있고 그것을 항상 공급하시겠다는 하나님의 의지와 작정이 그 안에 내재되어 있는 것을 기억해야 합니다.

너희 중에 가난한 자가 없으리라

하나님의 은혜의 역사는 이미 우리에게 충분한 재화를 허락하시고 그것을 통해 이 땅의 모든 하나님의 공동체 지체와 나누기를 원하십니다. 그래서 주님이 우리에게 주신 삶의 방법들을 말씀을 통해 듣고 실천하고 준행하면 이 땅 가운데 허락하신 주님의 선물들, 창조 세계 모든 것들을 공유와 나눔을 통해서 우리 가운데 빈곤으로 죽어가는 사람이 없다는 것입니다. 단지 그것을 사유화 하여 인생들이 하나님이 되어 우상숭배자가 되어 폭력과 착취를 통해 자신들의 배만 불리기 때문에 문제가 되는 것입니다. 우리는 이 하나님의 말씀을 믿어야 합니다. 우리 중에 '가난한 자가 없을 것이다' 이 말씀은 하나님께서 하신 말씀입니다.

- 받으려면 주라

오늘날 세계 제일의 부자 중에 한 사람이 바로 미국의 빌 게이츠입니다. 그가 현재 가진 재산은 500억 달러입니다. 우리나라 돈으로 50조원쯤 됩니다. 그가 지금까지 하나님의 일을 위해, 그리고 불우한 이웃을 위해 내놓은 돈이 300억 달러입니다. 약 30조원쯤 되는 큰돈입니다. 얼마 전 기자회견에서 자기가 세상을 뜨기에 앞서 전 재산의 95%를 하나님과 이웃을 위해 내놓고 나머지 5%는 자손에게 주겠다고 했습니다. 하나님을 사랑하고 이웃을 사랑하라고 하신 하나님의 최고 계명을 실천하면서 사는 사람입니다. 그의 어머니는 아들이 열한 살 때 예수님의 산상수훈을 모두 암송하게 했습니다. 아들은 그 중에서도 한 구절을 묵상하고 평생 실천했습니다.

"주라 그리하면 너희에게 줄 것이니 곧 후히 되어 누르고 흔들어 넘치도록 하여 너희에게 안겨 주리라 너희의 헤아리는 그 헤아림으로 너희도 헤아림을 도로 받을 것이니라." / 신약성서 개역개정 누가복음 6장 38절

천하 만물의 소유주이신 하나님은 우리에게 도움을 구하는 자에게 아낌없

이 줄 때 더 많은 것으로 우리를 채워주십니다. /최낙중 목사

하나님이 당신의 사람을 채워 주실 때는 그것이 개인의 욕구와 소유를 위해서 주시는 것이 아닙니다. 앞에서도 언급한 것처럼 청지기로서 거룩하게 공유하고 분배하라고 주시는 것입니다. 하나님이 왜 이 땅에 가난한 자와 부자를 함께 허락하시겠습니까? 그들은 그것을 통해 오직 하나님을 알게 하고 그분에게 영광 돌리는 삶이어야 합니다.

부자는 주신 부를 가난한 자와 함께 나눔을 통해 그들에게 하나님의 것을 가난한 자로 하여금 공급받게 하여 하나님께 감사하고 고백하는 자리로 나가게 해야 합니다. 그래서 예수님도 '오른 손이 하는 것을 왼손이 모르게 하라'고 말씀하셨습니다. 사람이 주는 것이라면 사람에게 감사할 터이니 말입니다. 가난한 사람은 부자들의 은밀한 구제를 통해 하나님의 살아 계심을 확인하고 하나님 앞에서 감사할 것이 아닙니까? 또한 그들도 훗날 주신 것을 나누는 자리로 가게 된다면 이 땅 가운에 가난한 자들은 특별히 빈곤한 자들은 없어질 것입니다. 이러한 하나님의 말씀을 그대로 실천하는 자리로 우리가 나가야 하는 것입니다.

* 창조 원형회복 - 복음의 보편성과 확장성

오순절 날이 이미 이르매 그들이 다 같이 한 곳에 모였더니 홀연히 하늘로부터 급하고 강한 바람 같은 소리가 있어 그들이 앉은 온 집에 가득하며 마치 불의 혀처럼 갈라지는 것들이 그들에게 보여 각 사람 위에 하나씩 임하여 있더니 / 신약성서 개역개정 사도행전 2장 1-3절

인생의 창조의 원형 회복은 성령을 통해 가능해 졌습니다. 창세기 11장에 인간들이 모이면 자기 이름을 내고 싶어서 바벨탑을 쌓아갔습니다. 그 바벨탑은 결국 인생들이 모이면 나오는 것이 죄악 밖에 없다는 것을 깨우쳐 주는 것입니다. 그것을 무너뜨리고 다시 사람이 모여서 하나님께 영광 돌리는 길은 그분이 우리 가운데 오시는 것입니다. 오직 그것만이 인생을 변화 시킬 수 있었던 것입니다. 그래서 예수님은 승천이후 한 곳에 모여서 기다리라고 말씀하신 것입니다.

- 과학이라는 바벨탑

헨리 나우웬이 쓴 「상처 입은 치유자」라는 책에 이런 이야기가 나옵니다. 어느 나라에 왕자 네 명이 있었습니다. 네 명의 왕자가 모여 이런 결정을 내렸습니다.

"우리 형제가 전 세계에 흩어져서 최첨단 과학 기술을 배워오자."

오랜 세월이 흘러 네 명의 왕자가 한 자리에 모였습니다.

첫째 왕자가 말했습니다. "나는 한 조각의 생물의 뼈만 있으면 근육을 붙이는 기술이 있다."

둘째 왕자도 말했습니다. "나는 뼈와 근육만 있으면 피부와 털을 돋아나게 하는 기술을 배워왔다."

셋째 왕자는 "나는 뼈와 근육 그리고 털이 있으면 사지를 만들 수 있는 기술이 있다"라고 했습니다.

막내 왕자도 질세라 말했습니다. "나는 사지가 있는 것에 생명을 불어넣는 기술을 배워왔다."

네 왕자는 숲 속에 들어가 뼈를 하나 주웠는데, 그것은 사자의 뼈였습니다. 네 명의 왕자는 그 뼈에 근육을 붙이고, 피부와 털을 돋아나게 하고, 사지를 만들고 마지막으로 생명을 불어넣었습니다. 그러자 사나운 사자가 일어나 그 네 명의 왕자들을 물어뜯어 죽였습니다.

이 이야기는 인간들이 쌓아놓은 현대 문명의 바벨탑에 인간 스스로 깔려죽는 모습을 보여주고 있습니다. 오늘날 현대인들은 문명에 의해 얼마나 많은 상처를 입고 비참하게 죽어 가고 있습니까? 인간은 하나님 앞에 하나도 자랑할 것이 없습니다. 하나님은 교만한 자를 물리치심을 기억하시기 바랍니다.

> "주께서 곤고한 백성은 구원하시고 교만한 자를 살피사 낮추시리이다"/
> 구약성서 개역개정 사무엘상 22장 28절

오늘날 우리는 또 다른 바벨탑 쌓기에 궁리중입니다. 과학기술만이 아닙니다. 모든 영역에서 하나님을 거역하는 세력과 악한 공동체들이 발현하고 있는 것이 현실입니다. 그들이 만든 그것이 그들 스스로를 해치고 주변의 모든 인생들을 무너뜨린다는 것을 모르고 있습니다. 우리의 삶 깊숙한 곳에 물질과 권력과 그리고 성적인 바벨탑이 우리도 모르는 사이에 깊이 파고들고 있습니다. 이 부분을 경계하고 기억해야 합니다. 저 먼 옛날의 창세기 이야기가 남의 이야기가 아니라는 것을 알아야 합니다.

지금도 계속 진행 중에 있는 이러한 현실들은 우리 모두를 고통스럽게 하고 있습니다. 그리고 그 대안은 우리 가운데 전혀 없습니다. 다시 한 번 말씀을 통해 하나님의 성령만이 오직 우리를 새롭게 하시고 근원부터 바꿔 주실 수 있는 사실을 직시해야 합니다.

> 온 땅의 언어가 하나요 말이 하나였더라 이에 그들이 동방으로 옮기다가 시날 평지를 만나 거기 거류하며 서로 말하되 자, 벽돌을 만들어 견고히 굽자 하고 이에 벽돌로 돌을 대신하며 역청으로 진흙을 대신하고

또 말하되 자, 성읍과 탑을 건설하여 그 탑 꼭대기를 하늘에 닿게 하여 우리 이름을 내고 온 지면에 흩어짐을 면하자 하였더니 여호와께서 사람들이 건설하는 그 성읍과 탑을 보려고 내려오셨더라 여호와께서 이르시되 이 무리가 한 족속이요 언어도 하나이므로 이같이 시작하였으니 이 후로는 그 하고자 하는 일을 막을 수 없으리로다 자, 우리가 내려가서 거기서 그들의 언어를 혼잡하게 하여 그들이 서로 알아듣지 못하게 하자 하시고 여호와께서 거기서 그들을 온 지면에 흩으셨으므로 그들이 그 도시를 건설하기를 그쳤더라 그러므로 그 이름을 바벨이라 하니 이는 여호와께서 거기서 온 땅의 언어를 혼잡하게 하셨음이니라 여호와께서 거기서 그들을 온 지면에 흩으셨더라. / 구약성서 창세기 11장 1-11절

하나님의 언어 혼잡은 저주가 아니라 재앙을 막으시는 것이었습니다. 인류의 소통은 악함으로 치닫는 도구였을 것입니다. 그리고 그 소통의 단절은 하나님과 그리고 이웃과의 소통의 단절이고 지금은 언어는 소통하여도 정서적인 소통이 되지 않아 비극이 계속되고 있는 현실입니다.

세대 간의 아픔, 지역 간의 아픔, 계층 간의 아픔이 계속 지속되고 있습니다. 이것은 인류가 더 큰 재앙이나 아픔을 겪어서는 안 된다는 구속의 하나님의 경고이며 인류를 사랑하시는 하나님의 뜻 이기도합니다. 인류의 바벨탑은 자기들의 이름을 위해 다른 이들의 이름을 무너뜨리고 있는 현실에 와

있습니다.

> 믿는 사람이 다 함께 있어 모든 물건을 서로 통용하고 또 재산과 소유
> 를 팔아 각 사람의 필요를 따라 나눠 주며 날마다 마음을 같이하여 성
> 전에 모이기를 힘쓰고 집에서 떡을 떼며 기쁨과 순전한 마음으로 음식
> 을 먹고 하나님을 찬미하며 또 온 백성에게 칭송을 받으니 주께서 구원
> 받는 사람을 날마다 더하게 하시니라 / 신약성서 개역개정 사도행전 2
> 장 44-47절

성령의 역사는 사람들의 삶의 내용을 바꾸어 놓았습니다. 삶의 가치와 목
적이 이 땅이 아니라 하나님의 나라인 것입니다. 그들의 하나님의 나라의 완
성을 위해서 이 땅에서 허락한 모든 것은 소유가 아니라 '청지기'로서 맡겨
진 것이기에 가진 것이 없어도 넉넉하게 나눌 수 있는 자리로 갈 수 있었습
니다. 그것은 예수님이 제자들에게 늘 가르치던 말씀이기도 합니다. 예수님
은 하나님의 나라에서 오신 분이고 하나님 나라 그 자체이시기에 이 땅이
아니라 하나님의 나라를 삶의 이유와 목표를 두고 늘 가르치셨습니다.

> 또 너를 고발하여 속옷을 가지고자 하는 자에게 겉옷까지도 가지게 하
> 며 또 누구든지 너로 억지로 오 리를 가게 하거든 그 사람과 십 리를
> 동행하고 네게 구하는 자에게 주며 네게 꾸고자 하는 자에게 거절하지
> 말라 또 네 이웃을 사랑하고 네 원수를 미워하라 하였다는 것을 너희가
> 들었으나 나는 너희에게 이르노니 너희 원수를 사랑하며 너희를 박해하

는 자를 위하여 기도하라 / 신약성서 개역개정 마태복음 5장 40-44절

* 불순종의 열매 – 토지 보유는 부의 상징

토지를 영구히 팔지 말 것은 토지는 다 내 것임이니라 너희는 거류민이요 동거하는 자로서 나와 함께 있느니라. / 구약성서 개역개정 레위기 25장 23절

한국은 부동산 투기 공화국이 되었습니다. 부동산을 통하여 부를 획득하는 것을 자연스럽고 당연한 것이라고 여기는 것이 기성세대이고 다음세대이고 당연하게 여기는 사회가 되었습니다. 필자가 고등학교에서 잠시 학생들을 가르칠 때 일입니다. 학생들에게 10년 뒤의 자신의 모습에 대해서 함께 나누는 중 많은 학생들이 '잘 사는 것'이 목표이고 꿈인데, 그중에 몇몇 학생들은 부동산 투자라는 용어를 통해서 '투기'와 '투자'를 구분하지 못하는 상황을 보고는 당혹스러웠습니다. 부의 편중과 불균형의 시초가 바로 토지인 것입니다. 이 땅 문제는 정치권 안팎에서도 논란거리가 되고 있는 것이 사실입니다.

- 헨리조지의 '진보와 빈곤' 그리고 기독교 사상

성경에 대한 문외한이었던 시절 헨리조지(Henry George, 1839-1897, 미국)의 '진보와 빈곤'(김윤상 역)을 읽고서는 다시 성경을 통하여 토지의 중요성을 필자 또한 깨닫게 되었습니다. 잠시 전환하여 헨리조지를 잠깐 소개하도록 하겠습니다. 헨리 조지의 '진보와 빈곤'은 1900년까지 성경 다음으로 많이 팔린 책일 정도로 인기가 있었습니다. 그리고 그는 이 책 한권으로 당시의 미국, 캐나다, 아일랜드, 영국, 호주, 뉴질랜드를 순방하면서 강연할 정도였습니다. 헨리조지의 '진보와 빈곤'의 사상적 원리는 성경에서 바탕으로 한 것입니다. 그는 경건하고 독실한 기독교 가정에서 성장하였고 일평생 말씀을 묵상하면서 산 사람이기도합니다. 러시아의 대 문호 레오 톨스토이 또한 그의 사상에 적극 동감하고 실천하기에 힘쓸 정도였습니다. 그래서 그의 아내에게 쓴 편지에도 " 나의 헨리 조지"라고 평할 정도였습니다. 그 영향으로 그는 대 지주라는 그의 자리를 과감히 버리는 행동까지 보였고, 그의 소설 '톨스토이'의 남자 주인공 '네흘류도프'를 통해 헨리조지의 사상을 실천하겠다는 의지를 보일 정도였습니다. 톨스토이는 그를 이렇게 평가했습니다.

"이 책은 헨리 조지가 주장하는 거대하고 실질적인 개혁이 무엇인지 보여주는 중대한 내용을 담고 있다. 하지만 '세상은 지금껏' 이 책의 중요성을 이해하지 못하고 있다. 사람들의 생활 방식을 바꾸는 헨리 조지의 사상은, 현재 학대받고 침묵하는 절대 다수의 사람들에게 유익을 줄 수 있으며, 이들을 다스리는 소수의 사람들에게는 손실을 줄 수 있다. 그는 자신의 사상을 참으로 확고하게 효과적으로 설명하였고, 그 내용은 참으로 단순하기 때문에 절대로 이해하기 어려운 것이 아니다. 따라서 그의 사상을 대항하는 방법은 단 하나, 그 내용을 왜곡하거나 침묵을 지키게 하는 것이다. 사람들이 이런 식으로 길들여지다 보니, 사람들에게 헨리 조지의 책을 주의 깊게 읽고 그의 사상을 더 깊이 연구해보도록 권유하는 것이 어려워졌다. 전 세계 대다수의 지식인들이 헨리 조지의 사상을 계속해서 오해하고 있고, 그의 사상에 아예 무관심해버리는 일도 늘어나고 있다. 그러나 정확하고, 따라서 창의력이 풍부한 사상은 사라질 수 없다. 오히려 이런 사상은, 애매모호하고 의미가 결여되어 있으며 이런 사상을 억누르는 세력 뒤에 있는 모든 다른 사상들과는 달리, 누군가 억압하려 할수록 더욱 생생하게 살아난다. 조만간 진리는 그것을 은폐하는 장막을 뚫고, 세계 위에 그 빛을 발하게 될 것이다. 헨리 조지의 사상이 바로 이런 사상이다."

- 토지 사유화로 인한 한국의 양극화의 현상 / 기독교사상 자료

· 한국적 빈곤의 현실 : 토지

현재 한국 사회의 토지·주택 소유 편중 도는 매우 심각한 수준입니다. 먼저 토지의 경우, 2005년 12월 기준 행정자치부 발표 자료에 의하면, 총인구의 1%인 상위 50만 명의 지주가 면적 기준으로 전체 개인 소유 토지의

57%를 소유하고 있는 반면, 총 1785만 세대의 40%인 715만 세대가 땅이 한 평도 없는 실정입니다.

분포의 편중 도를 나타내는 지니계수는 극단적인 편중일 때, 곧 한 사람이 모든 것을 다 차지할 경우에 1이고, 완전 평등일 때, 곧 모든 사람이 같은 몫을 가지고 있을 경우에 0이 됩니다. 곧 수치가 1에 가까울수록 편중도가 심한 것인데, 땅을 갖고 있는 세대의 토지소유 분포의 지니계수는 면적 기준으로 0.81, 가격 기준으로 0.64로서 매우 높습니다. 땅이 없는 세대까지 포함한 전체 세대의 지니계수는 면적 기준으로 0.89, 가액 기준으로 0.79로서 더 높으며, 소득분포의 지니계수가 0.35 정도인 사실과 비교해보면 토지소유 편중도가 얼마나 심각한지 알 수 있습니다.

토지의 이러한 양극화된 편중 도는 실질적으로 한국의 삶의 질을 현저하게 떨어뜨려 놓고 있습니다. 이것은 전체 공동체의 가치에도 영향을 주는 것입니다. 사회적인 동물인 우리는 한 공동체 내에서 비교 되는 대상이 되면 그러한 상대적인 박탈감으로 인한 아픔은 공동체 전체에 영향을 미칠 수 있는 것을 간과해서는 안 됩니다. 그러므로 땅에 대한 문제는 '공동체적 가치'를 가지고 풀어내야하는 것입니다. 다음은 2015년 우리나라의 삶의 질 순위입니다.

한국의 삶의 질 순위가 전 세계 국가 가운데 31위를 차지해 중위권에 머문 것으로 나타났습니다. 비즈니스 인사이더는 15일(현지시간)온라인 통계 조사 사이트 넘베오(www.numbeo.com)를 인용, 전 세계 86개국을 대상으로 조사한 결과 올해 삶의 질 지수가 가장 높은 곳은 288.03점을 받은 스위스인 것으로 나타났다고 보도했습니다.

삶의 질 지수는 국가별 환경오염, 안전, 물가수준, 의료 수준, 통근 시간 등 실증적 자료를 통해 각국의 전반적 삶의 질을 추정한 지수입니다. 넘베오는 정부 공식 집계가 아닌 온라인 조사를 통해 자료를 수집·분석하기 때문에 점수가 실시간으로 바뀝니다.

스위스에 이어 삶의 질 지수 2위를 차지한 국가는 덴마크로 258.83점을 받았고, 독일(244.1)과 핀란드(243.47), 스웨덴(237.19)이 각각 뒤를 이었습니다. 영국(156.9)은 16위, 프랑스(139.31)는 22위에 각각 랭크되고 있습니다.

우리나라는 120.03점을 받아 31위에 머물렀습니다. 아시아 국가 중에서는 일본이 168.28로 가장 높은 13위를 차지했고, 이어 싱가포르(111.29)가 34위, 대만(92.5)이 43위, 말레이시아(85.32)가 45위, 홍콩(82.96)이 49위 순이었습니다. 중국(15.99)은 76위로 하위권으로 나타났습니다.

삶의 질 지수가 가장 낮은 국가는 쿠바(-90.61)였습니다. 그 다음으로는 베네수엘라(-55.7), 가나(-41.14), 몽골(-23.88), 미얀마(-14 .69) 등이 뒤따랐습니다.

넘베오 관계자는 "부자가 되기보다는 안전한 환경이 중요하다는 판단 아래, 이번 조사에서 가장 중요하게 생각한 기준은 환경오염과 안전 수준이었다."고 전하고 있습니다. / 2015년 6월 16일자 브릿지 경제 문은주 기자

· **한국적 빈곤의 현실 : 주택**

다음으로 주택의 경우, 2005년 기준, 전국의 주택보급률은 이미 100%를 초과하여 106%에 달하였으나 전체 세대의 44%인 약 700만 세대가 집이 없습니다. 반면 전체 세대의 5%에 불과한 다주택 보유자가 전체 주택의 21%나 소유하고 있는 것이 현실입니다. 한마디로 주택 소유의 편중도도 심각한 상황인 것이 우리의 아픈 현실입니다.

한국 사회의 토지·주택 소유의 심각한 편중 현상은 바로 불로소득 때문에 발생하고 있는 것입니다. 토지·주택 불로소득이 존재하면, 많은 사람들이 불로소득을 노리고 토지·주택 매입에 나서게 됩니다. 이때 기존에 많은 토지·주택을 소유하고 있는 부유층이 그렇지 못한 서민층에 비해 은행 등 금융기관으로부터 대출을 더 쉽게 받아 토지·주택을 매입할 수 있기 때문에, 시간이 지날수록 토지·주택 소유의 편중 현상이 더 심각해지고, 더불어 불로소득 소유의 편중 현상도 더 심각해지는 악순환에 빠지게 되는 것입니다.

토지는 물론이고 주택의 경우에도 바로 토지불로소득이 원인입니다. 주택

70

투기의 진정한 원인은 건물이 아니라, 그 건물이 입지하고 있는 토지에 있습니다. 일반적으로 건물은 시간이 지나면서 낡아가므로 그 가치가 하락하는 반면, 건물 아래 토지는 인구증가와 사회발전에 의해 그 가치가 상승하는데, 주택 투기는 바로 이 상승하는 토지가치를 불로소득으로 얻기 위해 일어납니다. 그러므로 토지·주택 불로소득은 바로 토지불로소득인 것입니다. 토지·주택 정책의 핵심이 토지 정책이 되어야 하는 이유가 바로 여기에 있습니다.

· **토지 공개념과 시장 친화적 토지 공개념**

그래서 심각한 토지·주택 문제를 해결하기 위해 '시장 친화적 토지공개념'을 헌법에 명시하는 개헌(改憲)을 요구하는 시민사회의 목소리가 높아지고 있다. 2007년 1월, 여당(열린 우리당) 개헌추진특별위원회 간사인 민병두 의원은 개헌안에 대통령 4년 연임제 외에 토지공개념의 도입을 포함시키는 방안을 검토하기로 했다면서, "시민단체가 요구하는 개헌 과제 가운데 토지공개념 도입이 국민 지지도가 가장 높은 것으로 나타났기 때문"이라고 말했습니다. 그러나 그 다음날 개헌추진특위 위원장인 유재건 의원은 한 라디오 대담에서 "이번에 국회에서 처리할 개헌안에 토지공개념 제도를 포함시키지 않을 것"이라며 토지공개념 개헌론을 뒤집어버렸습니다. 이것이 당시 여당이 몰락한 중요한 이유 중 하나였습니다.

현재 국민이 가장 원하는 개혁적 개헌 의제는 바로 토지공개념입니다. 토지공개념이란, 토지는 사람이 만들지 않고 하늘이 준 것이며 모든 사람의 삶의 터전이기 때문에, 일반 물자에 비해 공공성이 높다고 보는 토지관입니다. 그런데 1980년대 말에 도입된 과거의 토지공개념 관련 법안은 그 정신은 옳았지만 그 방식이 잘못되어, 헌법재판소에 의해 헌법불합치 내지 위헌 판정을 받고 말았습니다. 따라서 이제는 토지공개념의 정신을 살리면서 동시에 방식을 제대로 갖춘 새로운 대안이 필요한 것입니다.

과거의 토지공개념에 대해, 지나친 규제를 담은 반시장적 방식이라며 비판해온 반대론자들의 비판까지 잠재우려면, 새로운 대안은 바로 시장 친화적 토지공개념이 도입되어야 합니다. 시장 친화적 토지공개념이란 소극적으로는 시장의 작용을 저해하지 않고, 적극적으로는 비정상적인 시장을 정상화하는 토지공개념인데, 그 핵심은 토지불로소득 환수입니다. 토지불로소득 환수는 시장의 작용을 저해하지 않고 오히려 투기적 가수요를 차단하여 토지시장이 정상적으로 기능할 수 있게 만들기 때문에 시장 친화적입니다.

시장 친화적 토지공개념의 핵심인 토지불로소득 환수를 위해서는 첫째, 공유지에서는 토지 공공 임대 방식에 의해 지대를 환수해야 합니다. 이와 같은 토지 공공 임대 방식은 주택, 공단, 신도시에 적용할 수 있습니다. 둘째, 사유지에서는 토지보유세 위주의 조세 개혁을 해야 합니다. 토지 보유세는 시장의 거래를 제한하지 않고 오히려 투기목적의 퇴장 토지를 시장에 공급하도록 촉진하기 때문에 시장 친화적입니다. 게다가 토지 보유세를 대폭 강화하는 만큼, 시장의 영역을 좁히고 경제활동을 위축시키는 생산·유통·소비·소득·부 등에 대한 조세를 감면한다면 그만큼 더 시장 친화적인 세제로 발전하게 되는 것입니다. 그런데 이와 같이 공유지와 사유지를 구분하여 토지불로소득을 환수하고 다른 조세는 감면하는 시장 친화적 토지공개념은 바로 헨리 조지가 주장한 지대 공유제의 원리를 적용한 것입니다.

· 현대판 십일조, '지대세'

앞서 언급하였듯이 시장 친화적 토지공개념은 미국의 경제사상가인 헨리 조지(Henry George, 1839~1897)가 주창한 지대 공유제의 원리를 적용한 것으로서 성경적인 토지 정의 정책이라고 할 수 있습니다. 지대 공유제의 하나인 지대 세는 현대판 십일조라고 할 수 있는데, 이를 설명하자면 다음과 같습니다.

지대 세는 지대를 과표(과세표준)로 하고 세율을 거의 100%로 하는 세금입니다. 지대 세는 그 목적이 평균지권 보장이라는 점과 그 방식이 토지 평균 분배 방식이 아닌 지대 공유 방식이라는 점입니다. 그 용도가 국가 공공 재정이라는 점에서 현대판 십일조라 할 수 있습니다. 여기에서 십일조는 레위지파가 받은 제1의 십일조를 지칭하고 있습니다.

이러한 지대 세는 국가 공공재정이라는 점이 말해 주고 있듯이 국민 전체에게 유익하게 환원된다는 점에서 토지의 공공성을 공동체 전체에서 올바르게 선용하게 되는 의미 있는 제도와 정책이 아닐 수 없습니다. 이 부분은 성경이 말하는 토지는 하나님의 것이라는 사상과 그 맥락을 같이 하고 있습니다.

· **서민들의 희망 : 시장 친화적 토지 공개념**

시장 친화적 토지공개념은 전문가들에게 지지를 받고 있다. 시장 친화적 토지공개념에 대해, 2007년 1월 17일에 방송된 KBS 2TV '추적60분' '신년특집, 민심을 듣는다Ⅱ-국민 절반의 희망, 내 집 마련의 꿈은'에서 의미 있는 여론조사 결과가 발표되었다. 국민의 66.5%가 시장 친화적 토지공개념이 실현되면 좋겠다고 응답했고, 전문가(대한국토도시계획학회 박사급 회원 250명)의 79.2%가 시장 친화적 토지공개념이 효과가 있다고 응답했으며, 전문가의 57.2%가 시장 친화적 토지공개념을 헌법에 명기하는 것에 찬성하였다. 희망의 불씨라고 할 수 있다. 이제 시장 친화적 토지공개념을 헌법에 명시해야 한다. 그 이유는 소극적으로는 부동산 개혁 정책의 안정성과 지속성을 확실히 담보하고, 적극적으로는 부동산 문제에 아무리 반개혁적인 정치권이라 하더라도 개혁적인 정책을 낼 수밖에 없도록 최고법인 헌법으로 강제하기 위해서다. / 기독교 사상 2007년 4월, 박창수

* 토지의 문제 - 정의의 문제

토지 문제는 실상, 한국 사회 전체의 문제이기도합니다. 그것은 부의 불균형과 불평등의 심화는 사회의 각종 문제를 야기하고 있는 것입니다. 토지의 문제는 실제적으로 정의의 문제입니다. 자본주의 사회에서 자본의 가치는 절대적입니다. 그런데 이 절대적인 가치가 불평등이나 불균형을 이루기 때문에 소위 '가진 자'와 '못 가진 자'의 갈등은 환경적 정서적 그리고 계층적으로 지속되고 있는 것이 현실입니다. 이러한 부분은 아무리 경제 대책을 강구하여도 무의미해 지는 것입니다.

" 한 사회가 정의의 기초위에 서지 않으면 무너질 것이다 "

헨리조지의 말입니다. 정의에 대한 문제는 윤리적인 정서의 문제가 아닙니다. 그것은 현실입니다. 성경이 계속 토지의 문제를 공공재, 즉 땅에 사는 모든 사람들에게 허락하신 하나님의 선물이라면 그것은 '기업'으로서의 공유를 통해서만 가능한 것입니다. 정의의 실현은 하나님의 뜻입니다. 그것이 이루어지지 않은 사회나 공동체는 실상 모래위에 지은 집과 같습니다. 창조주 하나님이 허락하신 토지에 대해 인간이 소유권을 주장하는 것은 어쩌면 영적 교만일 수 있습니다. 그리고 그것은 하나님의 실존에 대한 구체적인 부정일 수밖에 없습니다.

- 한국의 대형교회 성장과 분열의 사이클

교회 홍보(TV나 신문)와 전도 축제(유명 인사를 초청한 대형집회) - 성도 수 증가 - 교회 주변 땅 매입 - 성전건축, 대형버스운행 대출금 갚기 - 성도 수 증가 - 세속적인 교육 프로그램 도입 - 교회 주변 땅 매입 - 교육관 건축 - 대출금 갚기 성도 수 증가, 부교역자를 통한 교인 출석 관리 - 수도권 땅 매입 - 비전, 영성, 선교센터건축 - 대출금 갚기 성도 수 증가, 세습 준비 시작 - 교회 주변 땅 매입 - 더 큰 성전건축 대출금 갚기 - 성도 수 감소 - 세습완료 혹은 후임자 선택 전임자와 후임자와의 갈등, 위임목사와 당회와의 갈등 - 각종 소송과 법정 다툼 - 교회 분열 시작 / 인터넷 자료

- 주요 대형교회의 부채 현황

S교회 208억 원, G교회 188억5천만 원, M교회 144억4천만 원, J교회 130억2천만원, A교회 338억원, I교회 107억9천만원, O교회 91억원, J 80억원 / 한국종교문화연구소

교회는 성경적 경제관을 바탕으로 세워져야 합니다. 그런데 위의 자료를 보면 한국의 일부 대형교회는 소유와 욕망의 '바알의 경제관'을 바탕으로 세워지는 느낌을 가질 수밖에 없습니다. 이 부분에 대한 반론도 적지 않을 것이라고 생각되지만 보편적인 가치를 가진 대부분의 한국교회 성도들과 자연인은 이 부분에 동의할 수밖에 없는 것입니다. 물론 대형교회의 한국 교회에

서의 역할을 부정적으로 매도할 수는 없습니다. 그러나 말씀을 바탕으로 세워진 예수의 머리되신 교회는 성경적 정신과 가치로 만들어져 가야합니다. 이것이 하나님의 뜻입니다. 결단코 하나님께서는 교회가 세속화 되어 가는 과정을 방관하지 않으실 것입니다. 교회는 물질을 관리하는 청지기적 사명을 감당해야 합니다. 그리고 그 물질을 어떻게 아름답게 흘려 보내야할지 다 알고 있을 것입니다. 그것을 교회는 성경을 바탕으로 실천해야 합니다. 부언하면 지금 한국교회에 불고 있는 재정에 대한 성경을 악용한 번영신학도 하루 빨리 무너져야합니다.

* 정의의 실현 - 토지에 대한 실천적 이해와 적용

성경은 계속해서 우리에게 말씀하고 계십니다. 땅은 하나님의 것입니다. 그리고 인간은 땀을 흘려서 수고하고 애써서 그 생산물을 공급 받는 것이 우리의 사명이자 복인 것입니다. 또한 땅의 산물은 개인의 전유물이 아닙니다. 공동체를 위해 그리고 이웃과 함께 나누고 공유하라고 주신 것입니다.

이러한 맥락에서 토지를 소유하고 있는 많은 그리스도인과 또한 이 세상에서 함께 살아가려고 하는 익명의 그리스도인들과 동일한 마음으로 토지에 대한 믿음의 고백과 공동체를 위하는 더불어 살아가는 마음을 실천하고 결단해야 하는 것이 우리의 현실입니다.

77

하나님이 허락하신 토지에 대한 성경적 고백을 하는 운동이 활발히 진행되고 있습니다. 다음은 희년토지정의 실천 운동에서의 창립선언문이 그 좋은 예이기에 함께 나눠 보고자합니다.

- 희년토지정의실천운동 창립선언문 / 2007년 5월 14일

성경은, 토지는 모두 창조주이신 하나님의 것이라고 말씀한다. 동시에 인간은 노동의 수고를 통해 살아가도록 지음 받았기에 자기 수고의 산물을 스스로 거두어들이는 것이 최상의 복인 반면, 땅에서 나는 이익은 한 두 사람이 아니라 피조 된 인간 모두에게 있기에 마땅히 함께 누려야 함을 선언하고 있다.

하나님께서는 이스라엘 백성에게 토지를 나눠 주시면서 지파 별, 가족 별로 분배하도록 하셨는데 이는 토지의 1인 당 평균 분배를 의미한다. 그리고 그 경계를 의미하는 지계표를 절대 옮기지 못하도록 하셨다. 또한 하나님께서는 토지의 영구 매매를 금지하시면서 그 사용권을 최대 다음 희년까지만 한시적으로 매매토록 허용 하셨으나 희년에 양의 뿔 나팔 소리가 울리면 토지를 상실한 사람들이 자신의 기업 된 바 토지를 회복할 수 있도록 하는 동시에 희년 전이라도 언제든지 '무르기' 제도를 통해 근족(近族)이 대신 값을 치르고 토지를 되찾아 줄 수 있도록 하셨다.

이처럼 하나님께서 토지에 투영하신 일련의 원칙과 명령은 모든 백성에게 평등한 토지권이 있으며 이를 침해하려는 행위가 얼마가 악한 것인지를 명백히 보여 주신다고 할 것이다. 특히 하나님께서는 희년에 '전국 거민에게 자유를 공포하라'고 하시면서 각자가 '그 기업된 토지를 회복하라.'고 명령하셨다. 이는 설령 신체적인 자유를 얻었다고 하더라도 토지를 회복하지 않고서는 다시 품꾼의 신세로 전락할 수밖에 없기 때문에 진정한 자유를 위해 토지회복은 필수적이며 이는 희년의 토지법에 '토지가 없으면 자유도 없다!(No land, no liberty!)'는 위대한 사상이 담겨 있음을 보여 준다고 하겠다.

우리는 성경이 살아계신 하나님의 말씀이며 하나님 나라의 백성 된 그리스도인이 그 말씀을 따라 행하는 것이 지극히 마땅함을 고백한다. 따라서 성경에 주신 토지법이 고대 이스라엘 백성들과 마찬가지로 오늘을 살아가는 우리에게도 동일하게 유효함을 믿는다. 다만 고도화된 현대 사회에 고대의 방법을 문자 그대로 적용할 필요는 없으며 그래서도 안 된다. 단지 그 정신을 현대에 맞도록 지혜롭게 적용하는 것이 바람직하다. 우리는 이런 견지에서 시장 친화적 토지공개념과 구체적 정책 수단인 패키지형 세제개혁과 토지공공임대제가 하나님의 토지법을 행하는 가장 적절한 제도적 수단이 될 수 있다고 믿는다.

시장 친화적 토지공개념은 토지와 자연자원이 모든 사람의 공공재산이라는 성격을 갖고 있는 만큼 그것을 보유하고 사용하는 사람은 토지가치에 비례해 사용료를 공공에 납부하게 하고, 정부의 사용료 수입은 공공의 목적을 위해 사용하는 것을 기본 원리로 하는 토지공개념이다. 패키지형 세제개혁은 토지 보유세를 토지임대료 수준까지 강화하고 이에 비례하여 다른 세금은 감면하는 방식이며, 토지공공임대제는 토지 소유권은 공공이 갖는 대신, 토지의 사용은 민간의 자율에 맡기는 제도로써 토지 임차인은 임대 기간 중에는 자신의 토지 사용권을 자유롭게 처분하되 공공이든 민간이든, 토지를 사용하는 사람은 사용료를 국가에 납부하도록 하는 방식이다.

이처럼 시장 친화적 토지공개념을 근간으로 한 패키지형 세제개혁과 토지공공임대제가 하나님의 토지법을 행하는 가장 적절한 제도적 수단이 될 수 있는 것은 앞서 성경의 대원칙으로 확인한바 노동의 산물을 보장하는 동시에 토지에서 나는 이익은 모두가 함께 나누도록 함으로써 토지에 대한 모두의 권리를 보장하는 가장 유효적절한 수단이 되기 때문이다.

2007년은 한국교회에 있어서 특별한 해이다. 하나님께서 한반도에 오늘날 한국 기독교의 유례없는 성장의 기초가 된 평양 대부흥을 허락하신 지 100년 되는 해이기 때문이다. 많은 그리스도인들이 100년 전 장대현 교회에서 일어났던 대부흥이 오늘날에 재현되기를 갈망하고 있다. 하지만 이러한 갈망이 이루어진다 한들 우리네 이웃들의 삶과 내 형제 자매의 삶의 문제를 해결해 주지 못한다면 이것이 과연 온전한 복음이요 부흥이라고 할 수 있을 것인가?

주지하다시피 오늘날 한국사회는 부동산에서 비롯된 경제 문제로 극심한 사회적 갈등과 고통을 경험하고 있다. 총인구의 1%가 전체 개인 소유 토지의 57%를 소유하고 있는 반면, 총 세대의 40%는 땅 한 조각도 소유하고 있지 않다. 또한 전국 주택보급률은 이미 100%를 초과했으나, 한편에서는 전체 세대의 44%가 무주택 세대인 데에 반해, 전체 세대의 5%인 다 주택 소유자가 전체 주택의 21%를 소유하고 있는 형편이다. 수 걸음 못 가면 만나는 십자가의 홍수 속에서도 우리네 이웃들은 몸 둘 곳이 없어 눈물을 훔치고 있다. 그럴듯하게 꾸민 사무실에서 점잖게 차려 입고 부동산 재테크로 한 몫 건진 사람들이 낸 십일조에 하나님이 주신 축복이라며 기도하는 예배당 뒤쪽에서 기한 지난 월세 때문에 하나님의 기적을 구하는 내 형제와 자매가 가슴을 치고 있다.

많은 그리스도인들이 죄 많은 세상 탓이요 그들이 게으른 탓이라고 할지 모르겠다. 하지만 단지 영적인 세상뿐만 아니라 모든 것을 아우르는 온 세상을 창조하신 정의의 하나님께서 이미 성경의 토지법이라는 놀라운 해결책을 우리에게 주셨고 단지 우리가 그것을 따르지 않았다는 사실을 감안한다면, 이것이야 말로 하나님에 대한 신성모독이요 이웃에 대한 오만이 아니고 무엇이

겠는가? 그렇다면 이제 우리 그리스도인들은 무엇을 할 것인가?

성경의 가르침이 명백하기에 마땅히 그 길을 따라야 한다면 행하지 않은 모든 잘못에 대하여 하나님 앞에 회개하고 이웃에게 사과하는 것에서부터 시작하는 것이 순서일 것이다. 설령 이와 같은 잘못을 직접적으로 행하지는 않았다고 하더라도 매 주일마다 '거룩한 공교회와 성도가 서로 코이노니아 하는 것'을 자신의 신앙으로 고백하는 성도라면 이 모든 잘못을 자신의 죄로 삼고 정의로우신 하나님 앞에 회개하며 이 땅의 토지문제로 인해 고통 받고 그 아픔이 뼈에 사무친 이웃들에게 사과하는 것으로부터 문제의 실타래를 풀어나가야 할 것이다

다음은 성령의 도우심을 구해야 한다. 우리는 예수께서 공생애를 시작하실 때 회당에서 읽으신 말씀을 기억한다.

> 주의 성령이 내게 임하셨으니 이는 가난한 자에게 복음을 전하게 하시려고 내게 기름을 부으시고 나를 보내사 포로 된 자에게 자유를, 눈먼 자에게 다시 보게 함을 전파하며 눌린 자를 자유케 하고 주의 은혜의 해를 전파하게 하려 하심이라. / 신약성서 개역개정 누가복음 4장 18-19절

성령이 예수께 임하시는 이유가 가난한 자에게 복음 전하게 하시고 궁극적으로 주의 은혜의 해 즉, 자원의 희년을 전파하게 하도록 하시기 위함이라고

말씀하고 있다. 예수께서도 가난한 자에게 복음을 전하시고 자원의 희년을 전파하시기 위해 성령과 함께 하셨거늘 하물며 연약한 우리들이겠는가? 그러므로 우리는 성경의 토지법을 제도적으로 구현하고 자원적으로 실천하기 위해 성령의 도우심이 절대적으로 필요함을 인정하고 지속적으로 구함이 마땅할 것이다

마지막으로 세상을 유업으로 주신 하나님의 뜻을 따라 가난한 사람들에게 진정한 구원의 길을 제시하고 먼저 그의 나라와 그의 정의를 구하고자 한다면 그리도인들이 자발적으로 성경의 토지법을 실천해야 할 것인 바, 이에 우리는 그리스도의 몸 된 교회와 성도 앞에 다음의 실천사항을 제시하며 이를 위해 활동할 것을 선언한다.

1. 개인적 실천사항

- 희년 정신이 이 땅에 실현되도록 지속적으로 기도한다.

- 부동산 과다 소유, 집값 짬짜미, 각종 탈법·편법 행위 등을 통해 투기적 이익을 추구하는 세상의 풍조를 따르지 않는다.

- 희년 정신에 부합하는 토지 보유세 강화 정책을 지지하고, 자원하는 마음으로 보유세(종합부동산세 및 재산세)를 납부한다.

- 토지임대료 수입은 노력소득보다 우선하여 교회 안팎의 가난한 형제자매와 나누기 위해 노력한다.

- 투기 목적 혹은 과시 목적으로 고가주택을 보유하는 주택 과소비를 하지 않는다.

2. 교회 차원 실천사항

- 교회에서 자발적으로 정의로운 희년의 토지법을 가르치고 설교한다.

- 교회는 그 동안 부동산 소유 확대에 몰두해 왔던 것을 회개하고, 교회의 자원을 교회 본연의 목적(선교, 교육, 구제, 사회봉사 등)에 사용하기 위해 노력한다.

- 교인들의 토지 불로소득이 가난한 이웃을 구제하고 그들의 토지권을 회복시키는 데 사용될 수 있도록 제도적 장치를 마련한다.

- (교회소유 부동산의) 매년 지대를 교회 공동체 안팎의 가난한 이웃에 환원한다.

3. 제도 구현을 위한 실천사항

- 시장 친화적 토지공개념을 헌법에 명기하고 패키지형 세제 개혁과 토지공공임대제를 실행하는데 그리스도인들과 교회가 앞장서도록 한다.

이상 이 모든 것들을 행하는 데 있어서 매 순간 성령의 인도하심을 구하고 그 뜻을 좇아 행한다. / 2007년 5월 14일 희년토지정의실천운동

* 빛과 소금은 명분이 아니라 실천이다.

너희는 세상의 소금이니 소금이 만일 그 맛을 잃으면 무엇으로 짜게 하리요 후에는 아무 쓸 데 없어 다만 밖에 버려져 사람에게 밟힐 뿐이니라 너희는 세상의 빛이라 산 위에 있는 동네가 숨겨지지 못할 것이요 / 신약성서 개역개정 마태복음 5장 13-14절

세상의 빛과 소금이라고 말씀하신 주님의 선언은 우리의 현실과 주님의 말씀과 괴리가 있는 것이 실상 우리의 모습입니다. 오늘날 한국교회의 아픈 자화상 중에 하나가 이러한 자조적인 말입니다. '빛 가운데로 가는 교회' 교회가 물질적으로 온전해지지 못하고 물질을 관리하는 청지기가 아니라 악한 종이 되어 물질을 욕망과 욕심으로 소유하고 있다면 그것은 하나님의 나라와 그 복음의 능력을 훼방하는 훼방꾼에 불과한 것입니다. 빛과 소금으로 생명을 살리는 교회가 되기 위해 성경에서 말씀하시는 성경적 경제 정의를 우리가 사는 이 땅에서 조금씩 변화하고 개혁하고 발전해 나가야 할 것입니다. 영적인 변화와 개혁은 우리의 삶에서부터 일어나야하고 그 시작이 물질, 즉 돈인 것을 정확하게 인식해야 합니다.

몇 가지 제언을 합니다. 사실 토지 이외의 모든 불로 소득에 대해서 우리는 하나님의 뜻을 따라야합니다. 이 물질이 정의로운가? 그리고 하나님 뜻에 맞는 것인가? 또한 이 물질로 어떻게 하나님께 영광을 돌리며 이웃에게 나

눌 수 있는가? 물질을 맡기신 하나님의 뜻은 그 물질을 통하여 세상을 살리라고 주신 것을 명심해야합니다. 앞의 희년토지정의 실천 운동의 거시적인 차원의 삶의 실천도 있지만 허락하신 물질에 대해서 신앙고백이 되는 자리로 나가는 기도와 결단 그리고 헌신이 필요합니다. 하나님은 그렇게 우리를 부르시고 세우시고 세상 가운데 빛과 소금으로 오늘도 파송하고 계신 것입니다.

제 6 계명

안식일을 온전히 지켜라

* 안식일 - 복됨과 거룩함

하나님이 그 일곱째 날을 복되게 하사 거룩하게 하셨으니 이는 하나님
이 그 창조하시며 만드시던 모든 일을 마치시고 그 날에 안식하셨음이
니라 / 구약성서 개역개정 창세기 2장 3절

하나님은 왜 안식일을 복되게 하시고 거룩하게 하셨을까요? 그러면 나머지
6일은 상대적으로 이 복과 거룩이 없는 것이거나 작은 것일까요? 이 부분에
서 이러한 두 가지 의문이 생기게 됩니다. 그러나 창조주 하나님의 속성을
생각해 볼 때 절대로 나머지 6일의 상대적 비교 대상으로 생각해서는 안 될
것입니다. 하나님의 안식일에 대한 특별하심은 그 스스로의 쉼을 논하는 것
은 아닙니다. 왜냐하면 그분은 전능하신 분이시기 때문입니다. 이 안식일의
구조는 오직 그 피조물인 우리를 위한 하나님의 계획인 것을 다시 한 번 확
인해야 합니다. 안식일 전의 6일 또한 하나님이 손수 창조하신 것이므로 그
안에 내재되어 있는 창조주의 힘과 능력이 존재합니다. 그러므로 창조된 모

든 것이 복되고 거룩한 것은 사실입니다.

6일 동안의 창조물의 성장과정과 열매 맺기 위한 시간들일 수도 있을 것입니다. 그것이 7일째는 하나님의 능력이 창조물 안에서 열매이거나 결실이거나 성장과 성숙으로 드러나는 날로 볼 수도 있습니다. 그날에 하나님의 능력과 힘이 7일에 역사하는 날로 봐도 무방할 것입니다. 왜냐하면 7일에는 아무것도 창조하시 않으셨지만 창조된 그것들이 복되고 거룩한 것이기에 그 6일의 여정 속에서 7일째 온전해 지는 것으로 봐야 이 복되고 거룩함의 실체가 창조물 가운데 있는 것이기 때문입니다.

복되게 하사

'복을 주다'의 히브리 원어 '빠라크'는 삶의 모든 정황 가운데 하나님께서 직접 개입하신다는 것을 의미합니다. 그것은 창세기 1장 22절-23절에 나오는 '하나님이 그들에게 복을 주시며 이르시되 생육하고 번성하여 여러 바닷물에 충만하라 새들도 땅에 번성하라 하시니라 저녁이 되고 아침이 되니 이는 다섯째 날이니라.'5일째의 창조물 전체 가운데 복을 주는 의미로서 성공, 번영, 다산을 의미하기에 모든 것이 풍성해 짐을 말하는 것입니다. 그러므로 안식일의 복은 창조된 모든 것들에게 하나님이 직접 개입하시고 그 간섭은 모든 창조물의 번성과 풍성함을 의미합니다. 우리의 인생 또한 하나님의 안식일을 온전히 지킬 때 우리의 삶이 풍성해지고 하나님의 간섭에 따라 더욱 큰 열매들이 맺혀질 것이기 때문입니다.

거룩하게 하셨으니

'거룩하게 하다'의 히브리 원어 '카다쉬'는 이런 의미가 있습니다. '깨끗하게 하다, 구별하다, 드리다'의 의미가 있습니다. 즉 하나님은 창조된 모든 창조물에 간섭하시는 이유가 하나님의 속성인 거룩을 통해 다시 새롭게 하시고 정결하게 하심을 의미합니다. 이것을 다르게 표현하면 '새롭게 하다'라는 의미도 가질 수 있는 것입니다. 하나님이 7일 째 모든 창조물을 새롭고 깨끗하게 하여 지속적인 창조물 원래의 보존 상태가 되며 그리고 정결함을 통해 하나님의 것임을 증명해 낼 수 있는 것입니다. 하나님의 사람이 안식일을 온전히 지켜야 거룩이 유지되고 하나님의 사람임을 증명해 갈 수 있는 것입니다. 이토록 안식일을 지키는 것은 모든 피조물 즉, 사람에게 중요한 것입니다.

- 성수 주일하는 믿음

경북 상주 부원교회에서 있었던 일화입니다. 하루는 처음 보는 부인이 교회에 등록을 하였습니다. 알고 보니 친정에서 처녀 때는 신앙생활을 잘 하였으나 불행하게도 불신 결혼을 하여 출가하여 온 것입니다. 부인의 말에 의하면 남편과 홀시어머니만 있는 집으로 시집을 온 것입니다. 그리고 결혼할 당시에는 6일 동안은 열심히 일하고 주일은 교회에 나아가 자유롭게 신앙생활 할 수 있게 해준다는 약속 하에 시집을 왔다고 했습니다. 그러나 농촌생활은 늘 분주하였고, 옛사람들은 머슴 두느니 며느리를 본다고 며느리가 머슴처럼 열심히 일해주기를 누구나 바랄 것은 사실입니다. 그러나 이 부인은 주일은 어떤 일이 있어도 지켜내었습니다. 목사님으로서는 매우 귀한 신앙의 여인이라는 것을 알게 되었습니다. 그러나 남편과 시어머니는 믿음이 없으니 자연 불만이었습니다. 그러나 하나님께서는 믿음의 딸에게 귀한 아들을 선물로 주셨습니다. 독자인 신랑과 시어머니의 기쁨은 말로 형언할 수가 없었습니다.

그런데 이상하게도 이 부인의 모유가 한 방울도 나지 않는 것이었습니다. 시어미는 생각다 못해 며느리의 간절한 권유로 목사님을 찾아가게 되었습니다. 듣고 보니 사정이 딱했습니다. 목사님이 시어머니께 권유하길 내가 기도는 해드릴 터이니 한 가지 약속을 하자고 하였습니다. 모유만 잘 나오면 시어머니와 남편이 교회에 나오고 예수 믿겠다는 서약을 하라는 것이었습니다. 시어머니는 꼭 그렇게 하겠노라 굳게 약속을 했습니다. 목사님은 그 가정을 위하여 간절히 기도를 하게 되었습니다. 그런데 그 다음날 아침에 모유가 터져 나오는 것이었습니다. 할렐루야! 시어머니와 남편은 교회에 나아와서 예수를 믿게 되고 시어머니와 남편 그리고 부인까지 교회의 집사가 되었습니다. 하나님의 살아계심을 증명해 낸 것입니다. 부인의 주일성수의 귀한 믿음은 복 주시는 하나님, 그리고 온 가족을 구원하신 깨끗케 하시고 새롭게 하시는 하나님의 역사를 보게 되는 것입니다. 지금도 안식일, 즉 주일을 온전히 지켜 내는 가족이나 공동체는 하나님의 복 주심과 거룩케 하시는 역사를 맛 볼 수 있는 것입니다.

* 안식일의 신학적 의미

여호와께서 그들의 사방에 안식을 주셨으되 그 열조에게 맹세하신대로 하셨으므로 그 모든 대적이 그들을 당한 자가 하나도 없었으니 이는 여호와께서 그들의 모든 대적을 그들의 손에 붙이셨음이라" / 구약성서 개역개정 여호수아 21장 44절

내적 안식- 죄로부터의 해방

안식은 외적인 이유보다는 내적 상태를 말하는 것입니다. 안식은 휴식, 정지, 평화, 고요 등을 뜻합니다. 이는 노동으로부터의 휴식과 원기를 회복하는 출애굽의 안식에서 구체적으로 나타나고 있습니다. 이 안식은 노예 상태로부터의 해방이며 죄로부터의 해방을 말하는 것입니다. 그러므로 하나님의 백성이며 구원 받은 모든 사람은 이 안식일을 반드시 지켜야하는 것입니다. 이런 의미로 보아서 안식이란 인간 내면의 상태를 말하는 것이지, 억지로 일

을 안 하게 하는 외면의 상태가 아님을 분명히 알 수 있습니다. 이는 안식에 대한 성경적이고도 영적인 이해가 부족한데서 나온 것입니다. 인간 내면의 문제를 규율(절대 일하지 말라, 절대 사먹지 말라 등의 금지령)로 정한다면 이것은 참으로 부자연스런 결과를 초래하게 되는 것입니다. 내적인 상태가 성경적 안식으로 정리가 되면 외적인 부분은 억제하지 않더라도 자연스럽게 해결되는 것입니다.

외적 안식 - 하나님 나라의 구조 훈련

안식의 개인적인 의미는 휴식, 정지 등을 뜻하며 이는 일로부터의 외적인 안식을 말합니다. 그리고 사회, 국가적 의미는 평화, 고요 등을 뜻하며 환경으로부터 오는 내면적 안식을 말합니다. 이는 장차 하나님 나라에서 이루어질 참 영원한 안식을 상징적 모형적으로 알려주고 있는 것입니다.

최초의 안식의 실패자 - 아담

안식의 신학적으로 구분해 볼 필요가 있습니다. 우선 원형적 안식은 창조 후의 안식을 에덴동산에서 아담에게 보이셨습니다. 이것은 타락 이전의 안식의 상태를 말합니다. 앞에서 언급한 창세기 2장 3절이 말하고 있는 안식의 두 가지 맥락, 복과 거룩이었습니다. 그러나 인간은 타락하여 이 안식을 맛

보지 못하게 되는 것입니다. 그 죄의 결과로 말미암아 안식을 잃어버리게 되었고 노동과 해산의 수고가 오게 되었습니다.

> 아담에게 이르시되 네가 네 아내의 말을 듣고 내가 네게 먹지 말라 한 나무의 열매를 먹었은즉 땅은 너로 말미암아 저주를 받고 너는 네 평생에 수고하여야 그 소산을 먹으리라 땅이 네게 가시덤불과 엉겅퀴를 낼 것이라 네가 먹을 것은 밭의 채소인즉 네가 흙으로 돌아갈 때까지 얼굴에 땀을 흘려야 먹을 것을 먹으리니 네가 그것에서 취함을 입었음이라 너는 흙이니 흙으로 돌아갈 것이니라 하시니라 / 구약성서 개역개정 창세기 3장 17-19절

안식일의 주인의 안식일 회복 - 예수그리스도

그러나 장차 오실 메시야가 구속을 통해서 이 안식을 이루실 것입니다. 예수 그리스도는 뱀의 머리를 상하게 하는 역사를 통해 죄의 결과로 인한 저주의 징계를 온전히 풀어내어 인생 모두를 해방하실 것입니다. 이제 그들은 노예, 즉 노역의 삶에서 하나님의 구원의 백성인 하나님의 동역자로서 사명의 삶을 살아 나갈 것입니다.

모형적 안식을 통해 불완전하지만 이 땅에서 하나님의 나라의 영원한 쉼을 맛보게 하셨습니다. 원형적 안식에 대한 타락 이후의 모형 계시로서 실체에

대한 언약입니다. 모형도는 실체를 이렇게 지을 것이라는 약속입니다. 이를 출애굽 이후의 역사 속에서 모세를 통해서 선택된 백성에게 알려주셨습니다. 즉 바로의 압제 아래서 하루도 쉬지 못하고 노역을 하던 이스라엘 백성에게 창조의 안식을 맛보게 하시는 제도를 모형적으로 주신 것입니다.

안식일을 기억하여 거룩히 지키라 나 여호와가 안식일을 복되게 하여 그날을 거룩하게 하였느니라. / 구약성서 개역개정 출애굽기 20장 8절, 11절

제 7 계명

안식일의 거룩한 구조 속으로 들어가라.

안식일의 사회적 구조적 훈련 - 십계명의 제 4 계명

구약의 내용을 구체적으로 정리해 보면 시내산, 즉 광야 안식을 말하고 있습니다. 개개인의 시간적인 안식으로 십계명의 4계명을 뜻하기도 합니다. 이 것은 궁극적 안식에 대한 모형이며 연습이고 훈련인 것입니다. 아담이 잃어 버린 원형적 안식에 대한 모형적 안식입니다. 이스라엘은 모세율법을 통해서 안식이 얼마나 좋은 것인가를 체험하게 되는 것입니다. 그들은 애굽 땅에서 시간적인 개념조차 없는 쉬지 못하는 노역으로 그들의 육체가 곤고해지고 쇠 잔해 질 때까지 고통 속에 노역하며 죽어갔습니다. 그런데 모세를 통한 십계 명의 그 안식을 맛보는 그들의 삶은 반복되는 소망의 날, 은혜의 날, 기쁨의 날을 통해 하나님을 확인하게 되었고, 하나님의 백성임을 증명하게 되는 것 입니다.

이스라엘 백성이 가나안 땅에 들어가서 안식하게 됩니다. 이것은 민족적인 상황의 안식으로서 여호수아로 말미암아 사방에 안식을 주심으로, 즉 대적들의 공격이 없음으로 사회, 국가적으로 평화를 부분적으로 맛보게 되었습니다. 앞서 말한 개개인의 안식이 이제 주변이 정리됨으로 말미암아 민족 공동체 전체가 안식을 하게 되었습니다.

> 만일 여호수아가 저희에게 안식을 주었더면 그 후에 다른 날을 말씀하지 아니하셨으리라 그런즉 안식할 때가 하나님의 백성에게 남아 있도다 / 신약성서 개역개정 히브리서 4장 8-9절

안식일의 결실 - 여호와 샬롬

하나님이 허락한 안식일의 실체적 결실을 이스라엘 백성은 알게 되고 깨닫게 되었습니다. 원형에 대한 실체의 계시로서 심령의 평강을 말합니다. 이스라엘 전 공동체가 평화를 얻음으로 내면적 안식은 외적인 갈등과 저항 요인이 없어짐으로 말미암아 하나님이 주신 평강을 맛보게 되는 것입니다. 그들의 말한 '여호와 샬롬'이 실천되는 자리가 바로 안식일의 구조였습니다. 이는 하나님 나라의 영원한 안식이 있다는 확신을 주는 계시 사건이기도합니다.

안식일의 성취 - 십자가

영적 안식은 이 땅에서 심령의 평안함을 말합니다. 이것은 성취되어 가고 있는 안식으로 육체의 정욕에 의해서 방해를 받기도합니다. 즉 신앙의 성숙도에 따라서 안식의 상태가 달라지는 것입니다. 완전한 안식은 육체가 눈을 감게 될 때 성취되는 것입니다. 이를 위해서 예수께서 십자가에서 죽으시고 완전한 안식을 이루셨습니다. 손가락 하나 움직이지 않는 가장 편안한 안식을 예표적으로 보여주신 것입니다.

영원한 안식은 이생의 장막(육체) 이후의 안식으로서 하나님 품에서 쉬다가 부활의 옷으로 갈아입는 안식입니다. 그러므로 시내산 안식은 심령의 안식으로, 가나안 안식은 영원한 안식으로 성취되는 것입니다. 만일 지금의 안식일의 개념은 예수 그리스도의 죽음과 부활을 통해 '주일'로 이 땅에서 가장 완전한 안식일로 발전하게 된 것입니다. 몇몇의 이단 종파처럼 안식일을 지킨다면 예수 십자가의 공로를 무시하게 되는 것이며, 예수 그리스도를 부인하는 모습인 것입니다.

너희가 날과 달과 절기와 해를 삼가 지키니 내가 너희를 위하여 수고한 것이 헛될까 두려워하노라 / 신약성서 개역개정 갈라디아서 4장 10절

하나님의 주권과 은혜- 안식일

이 안식일은 신약시대에 와서는 하나님의 주권과 은혜로 연결되고 있습니다. 아담과 하와가 뱀의 유혹으로 마귀의 종이 됨으로 원형적인 안식을 상실케 되었습니다. 이후로 인류의 역사에서 갈등, 분열, 전쟁이 계속되었습니다. 이는 안식을 잃어버린 결과로서의 저주입니다. 우리는 신약시대의 안식을 가지게 되었지만 때때로 불안과 갈등이 오게 됩니다. 이는 아직 우리가 죄의 삯인 사망의 육체를 입고 있기 때문입니다. 많은 사람들이 성경에서 '안식일 또는 주일을 지키라고 했으니 지킨다' 맞는 말입니다. 그러나 안식일을 지킴으로 내 마음의 안식이 이루어져야 하는데, 과연 심령의 안식이 내가 날짜(안식일)를 지킨다고 내 마음대로 되고 있을까요? 안식의 주권은 하나님께 있는 것입니다. 하나님께서 명하시고 하나님께서 이루십니다. 즉 예수께서 모든 율법적 안식을 십자가의 죽음으로 다 이루신 것입니다. 결코 인간이 자신의 의지로 날짜를 지켜서 안식을 얻는 것이 아닙니다.

결국 안식은 은혜가 동반되어야 하는 것입니다. 안식에 있어서 인간의 능력이나 공로가 전혀 인정될 수 없는 것입니다. 에덴동산의 안식도 하나님이 일방적으로 주신 은혜인 것을 잊지 말아야 합니다. 만일 내가 음식 안 사먹고 오락하지 않음으로 인해서 안식을 취할 수 있다면 그것은 내 노력으로 되는 것이니 은혜가 아닙니다. 안식을 취하면서도 밀려오는 육신의 소욕들은 어떻게 할 것입니까? 하나님이 허락하셔야 안식일, 주일이 온전해 지는 것입니다. 그분이 허락하시는 은혜와 사랑만이 온전한 안식에 들 수 있는 것입니다. 그래서 안식일, 즉 주일을 지킨 다는 것은 그분의 자녀로서의 삶의 스타일이고 고백 이어야하는 것입니다.

모든 눈물을 그 눈에서 씻기시되 다시 사망이 없고 애통하는 것이나 곡하는 것이나 아픈 것이 다시 있지 아니하리니 처음 것들이 다 지나갔음이러라 / 신약성서 개역개정 요한계시록 21장 4절

- 참된 안식의 발견

4세기의 위대한 성자 어거스틴은 '인생의 목적'이 무엇인지 깨닫기까지 수많은 방황의 세월을 보냈습니다. 그는 공부하기 위해 청년 때에 집을 떠나 카르타고로 갔습니다. 그는 로마의 철인 키케로와 신(新)플라톤 사상에 몰입하기도 했고, 친구의 권유에 따라 마니교에 빠지기도 했습니다. 그리고 그는 가장 친한 친구의 죽음을 지켜보며 인생의 허무를 뼈저리게 느꼈고, 또한 방탕하게 사는 자신의 모습에도 깊은 회의를 느꼈습니다. 그러던 어느 날 밖에서 어린아이들이 부르는 '집어서 읽어라'는 노래를 듣고 옆에 있던 성경을 펼치자 그의 눈앞에 로마서 13장 12절부터 14절까지의 말씀이 크게 확대되어 들어오는 것이었습니다.

밤이 깊고 낮이 가까이 왔으니 그러므로 우리가 어두움의 일을 벗고 빛

의 갑옷을 입자 낮에와 같이 단정히 행하고 방탕과 술 취하지 말며 음란과 호색하지 말며 쟁투와 시기하지 말고 오직 주 예수 그리스도로 옷 입고 정욕을 위하여 육신의 일을 도모하지 말라. / 신약성서 개역개정 로마서 13장 12-14절

어거스틴은 이 말씀을 읽고 회심한 후, 고백록에 이렇게 기록했습니다.

"하나님, 당신을 위해 우리를 창조하셨으므로 우리 마음이 당신 안에서 안식을 얻기까지는 평안이 없나이다."

＊ 안식일(주일)의 사회적, 구조적 경제 의미

하나님께서 안식일을 복 주셨다하고 그날을 거룩하다 함의 의미는 앞서 언급했던 것처럼 하나님이 창조 세계에 대한 창조물의 풍성함과 새롭게 함이 극대화된 자리라고 말씀드렸습니다. 이 안식일을 지켜야 하는 기준들이 있습니다. 그것들을 살펴보면 그 안에 하나님이 이스라엘 백성과 오늘 우리에게 주시는 메시지가 있음을 알 수 있습니다.

너는 육 일 동안에 네 일을 하고 제 칠 일에는 쉬라 네 소와 나귀가 쉴 것이며 네 계집종의 자식과 나그네가 숨을 돌리리라 구약성서 개역개정 출애굽기 23장 12절

출애굽기의 안식일에 대한 규례에 대해서 이렇게 설명합니다. 소와 나귀가 쉴 것이며, 계집종과 자식과 나그네가 숨을 돌리게 하라고 말씀하십니다. 그런데 여기 먼저 언급하고 있는 것이 있습니다.

" 너는 육 일 동안에 네 일을 하고 "

하나님이 허락하신 위대한 안식은 ' 너는 ……. 하고'에 해당하는 히브리어 '타아세'는 행하다라는 뜻이 있는데 능동형으로 진행입니다. 6일 동안 적극적이고 진취적으로 주어진 일을 해야 한다는 것입니다. 이것은 선택의 문제가 아니라 하나님의 명령으로 기록되어 있습니다. 6일의 우리에게 허락된 하나님의 사명을 최선을 다해서 적극적으로 행할 때 진정한 안식이 오는 것입니다. 하나님의 사명이 아닌 자신의 먹고 살기 위해서 사는 것은 여기에 해당하지 않습니다. 하나님이 우리에게 부르심이 다를 수 있습니다. 그리고 그것을 우리는 '직장'일 수 있습니다. 우리는 그곳에서도 파송된 사람으로 하나님의 뜻 안에서 최선을 다해 하나님 앞에서 헌신하고 그 사명을 감당할 때 하나님이 허락하신 안식일(주일)에 대해 온전한 쉼을 가질 수 있는 것입니다.

- 노동의 신성함과 직업

밀레(J. F. Millet)의 만종(만종)은 밀레가 가난했을 때 65달러를 들여서 그린 그림입니다. 그런데 그 후 12만 5천 달러에 미국인이 사갔습니다. 이 그

림에는 세 가지 신성이 있는데, 하나는 노동의 신성이요, 하나는 가정의
신성, 그리고 또 하나는 종교의 신성입니다.

프랭클린은 말하기를 "일하는 농부는 앉아있는 신사보다 존귀하다."고 하
였고, 케네디 대통령은 말하기를 "최대의 행운은 자신의 전 능력을 들여서
일하는 것이다." 라고 하였습니다.

나폴레옹이 프랑스 황제가 된 다음에 꿀벌의 모양을 본따서 국장(국장)을
만들었습니다. 그러면서 그는 "나는 일을 사랑한다. 나는 잘 때에도 일에 관
한 꿈을 꾼다."라고 말했습니다.

개미는 세상에서 가장 열심히 일하는 곤충입니다. 개미는 자기 몸무게의
배나 되는 짐을 운반할 수 있습니다. 이것은 35kg의 소년이 20kg의 짐을
드는 경우와 맞먹습니다.

맨하탄 57가에 희랍계 식당이 있었습니다. 화장실 입구에 남녀를 구별하는
표시로서 그림이 그려져 있었습니다. 남자 화장실에는 배를 타고 항해하는
그림, 여자용에는 밭에서 일하는 그림입니다. 옛날 희랍에서는 남자는 고기
잡이, 주부는 농사에 종사하는 것이 전통적 남녀의 이미지였다고 합니다.

토마스 카라일이 즐겨 쓴 용어는 "일의 복음"(Gospel of Work)이었습니다.
일이란 기쁜 소식이란 뜻입니다. 일 속에 참 기쁨과 고침(healing)과 해방이

있다고 그는 역설하였습니다.

옛날 유대나라에는 일하지 않는 무직자는 랍비의 자격이 없었습니다. 무직자를 가장 미워하는 사회가 유대사회입니다.

나폴레옹1세가 말하기를 "사람은 그 제복대로의 인간이 된다."고 말했고, 니체는 "직업은 생활의 등뼈"라고 말했습니다. 사무엘존슨은 "직업은 그 성품을 채색한다." 그렇게 말하기도 했습니다.

미국정부 조사에 의하면 미국에는 대략 23,552종류의 직업이 있다고 하는 것입니다. 침대요가 부드러운가를 조사하기 위하여 매일 8시간씩 맨발로 요를 밟고 다니는 직업이 있는가 하면 지하철 같은 곳에 붙은 광고 인물사진이나 그림에 누가 장난으로 그려놓은 그 수염을 하나하나 쫓아다니면서 지워야 하는 직업도 있고 접시의 강도(强度)를 시험하기 위하여 하루 종일 접시만 깨는 직업도 있습니다.

하나님의 백성의 증표 – 제 칠 일에는 쉬라

'쉬라'의 히브리 원어는 '티쉬쁘트'입니다. 뜻은 '육신적인 일을 모두 중단하고 휴식의 날로 계속 지킬 뿐만 아니라 그날을 지속적으로 기념하고 축하하라'는 의미가 내포되어 있습니다. 이 안식일은 앞에서도 언급했던 것처럼 십계명의 제 4계명에 포함되어 있고, 지속적으로 모세오경에 반복하여 강조하고 있습니다. 그것은 반드시 지켜야하고 그것은 하나님의 절대적인 명령인 것을 말씀하고 있는 것입니다. 선택의 문제가 아님을 재삼 말씀하고 계신 것입니다. 십계명 전체에 흐르고 있는 하나님의 분명한 말씀은 애굽에서 나와 죄인의 자리 노예의 자리에서 우리가 하나님의 백성이기에 우리의 삶의 내용은 십계명으로 드러나야 함을 말씀하고 계십니다. 애굽에서 종 되었을 때에는 '쉼'이라는 것이 없는 평생을 노역을 하다가 죽어야 하는 절망적인 상태에서 이제는 하나님의 백성이 하나님처럼 안식하는 삶, 그리고 하나님으로부터 공급 받는 삶의 고백인 것입니다. 그러므로 안식일을 지키는 것은 하나님의 백성임을 증명해 내는 것입니다. 더 구체적으로는 우리가 주일을 지키는 것은 우리의 삶의 내용이며 구원 받은 백성의 증표인 것입니다.

거룩한 기억, 거룩한 연합

내 안식일을 지키고 내 성소를 공경하라 나는 여호와니라 / 구약성서 개역개정 레위기 19장 30절

안식일은 단지 육적인 쉼으로 끝나는 것이 아닙니다. 그것은 그날에 복을 주시고 거룩하게 하신 하나님이 그날 안식하셨습니다. 그러므로 제 7일은 하나님을 기억하고 그분을 기념하는 날입니다. 그리고 그분을 기억하는 가장

은혜로운 형식이 그분을 높이는 예배입니다. 진정한 안식은 하나님으로부터 시작되기 때문입니다. 하나님이 우리를 창조하실 때, 우리 안에 하나님의 형상이 존재합니다. 그것은 하나님을 닮았다는 것을 증명합니다. 그러므로 우리는 그분 안에 있을 때 가장 큰 안정감을 가지며 평안을 이룰 수 있습니다. 그것이 안식일의 가장 근본이 되는 것입니다. 우리의 영혼과 육체가 하나님을 기억하고 하나님을 바라 볼 때 온전한 충전과 다시금 새롭게 되는 거룩한 에너지를 얻게 되는 것입니다. 그분을 우리가 매일매일 기억해야하지만 또한 매주 하나님과 연합하는 시간 속에서 함께 모이는 예배 공동체가 하나님께 영광을 돌릴 때, 모든 공동체가 영화로워지며 새롭게 되는 것입니다. 안식일은 하나님과 함께 하며 그분을 기억하는 시간으로서 다시 세상으로 파송 될 모든 하나님의 사람들의 견고한 반석이며 거룩한 힘입니다.

- **안식일은 업그레이드하는 날**

런던의 한 행상인은 영국의 정치가 샤프츠버리 경에게 말하기를 1주일 중에 하루를 쉬게 하는 당나귀는 짐을 지고서 하루에 30마일 이상을 갈 수 있다고 하였습니다. 반면에 1주일 중에 하루도 쉬지 않고 일하는 당나귀는 하루에 15마일밖에 가지 못한다는 것입니다. 그러므로 매일 일하는 당나귀는 그렇지 않은 당나귀보다 그만큼 손해가 더 많으며 병들고 초라해 보입니다. 그러나 1주일 중에 하루를 쉬면서 일하는 당나귀는 그렇지 못한 당나귀보다 더 많이 일을 하고도 생김새가 아주 말쑥해 보인다고 합니다.

약60년 전에 스위스의 해글러 박사는 산소량에 대한 실험을 통해 안식일이 사람에게 꼭 필요한 날임을 입증합니다. 평일에는 밤에 휴식을 취하면서 얻게 되는 산소의 양보다 낮에 일을 하여서 잃게 되는 산소의 양이 더 많다는 것입니다. 그러나 평일 동안에 수고하여 잃게 된 산소의 양은 안식일에 모두 보충할 만큼 축적이 된다고 증명합니다. 1주일 내내 일을 계속하면 사람은 견디지 못한다는 사실이 입증된 셈입니다.

헨리 포드 자동차 회사는 일찍부터 주일에는 근무를 하지 않았습니다. 작업량이 부족해서 그런 것이 아니라 근무하는 사람들의 건강상태를 고려해서였습니다. 그 회사 대변인은 1주일 내내 일하는 사람들에게는 병이 자주 생긴다고 말합니다. 사람과 당나귀를 만드신 하나님께서는 그들에게 유익한 것이 무엇인지를 아시기 때문에, 사람과 당나귀 모두에게 계명을 주신 것입니다.

창조적 발전과 성장의 날 – 안식일

여호와 너의 하나님이 네게 명한 대로 안식일을 지켜 거룩하게 하라13. 엿새 동안은 힘써 네 모든 일을 행할 것이나14.제 칠 일은 너의 하나님 여호와의 안식일인즉 너나 네 아들이나 네 딸이나 네 남종이나 네 여종이나 네 소나 네 나귀나 네 모든 육축이나 네 문 안에 유하는 객이라도 아무 일도 하지 말고 네 남종이나 네 여종으로 너같이 안식하게 할지니라.15.너는 기억하라 네가 애굽 땅에서 종이 되었더니 너의 하나님 여호와가 강한 손과 편 팔로 너를 거기서 인도하여 내었나니 그러므로 너의 하나님 여호와가 너를 명하여 안식일을 지키라 하느니라. 구약성서 개역개정 신명기 5장 12-15절

하나님이 창조하신 모든 창조 세계가 안식일을 통해 복을 받으며 거룩하게 됩니다. 그것은 안식의 구조 자체에서 평등과 자유, 그리고 쉼과 회복을 이루어 나가게 되는 것입니다. 우리가 왜 믿는 사람들은 '주일'을 앞에 놓고 그 다음 평일인 '월, 화, 수, 목, 금, 토'라고 달력이나 말을 할 때 그렇게 표현할까요? 그것은 주일에 받은 공급으로 나머지 6일을 살겠다는 의지가 되는 것입니다. 하나님은 안식일에 모든 하나님의 사람에게 충분한 에너지를 허락하심을 통해 나머지 6일을 하나님의 사람으로 살도록 우리를 만들어 놓으셨습니다. 이것은 믿음의 사람, 하나님의 사람의 고백인 것입니다. 하나님께서 거룩한 날을 정하시고 그날을 통해서 우리는 더욱 복되며, 거룩하며, 새롭게 되는 자리고 나갑니다. 그리고 그것은 안식을 다음이 더욱 성장하고 자라는 자리로 가는 창조적 발전과 성장이 확보되는 날이기 때문입니다. 여전히 우리가 안식일, 즉 주일을 기준으로 살지 않으면 우리는 우리의 인생에서 더 이상 발전이 없는 것입니다. 주일 중심의 삶이야말로 그 인생이 가장 거룩하고 복된 인생으로 성숙하고 성장하는 것입니다.

안식일에서 예수그리스도의 주일로!

인자는 안식일의 주인이니라 하시니라/신약성서 개역개정 마태복음 12
장 8절

계속되는 언급이지만 안식일의 궁극적으로 예수 그리스도의 날로 발전하게
됩니다. 하나님께서 안식일, 지금의 주일로 재정하시고 그날 예수 그리스도
의 부활을 통해 모든 것에서 우리가 승리하도록 만드셨습니다. 그러므로 주
일은 모든 인생이 죄와 사망에서 회복하는 날입니다. 절망에서 희망으로, 전
쟁에서 평화로, 기근에서 풍성함으로 변화되는 것이 주일입니다. 하나님의
나라가 이 땅에서 상징적 가시적으로 보여지는 날입니다. 안식일은 주님의
날, 주일이 됨으로 인해서 우리가 안식일에 가졌던 모든 하나님의 복과 거
룩, 새롭게 됨의 첫 열매요, 역사인 것입니다. 주일에 복을 주시고 거룩한 하
나님과의 연합을 통해 하나님 백성으로서의 거룩한 모든 것을 공급받는 날이
며 이 전 주일 보다 다시 오는 주일이 우리에게는 더욱 복되고 은혜로운 날
로서 발전하게 되는 것입니다.

* 주일은 평등과 자유, 해방과 완전한 회복

이날은 한 주 동안의 땀과 결실을 공동체 가운데 헌신하고 드리고 서로 공급하고 나누고 배려하고 이해하고 공유하는 하나님의 날의 완전한 열매를 드리는 날입니다. 이때 우리는 부름 받은 공동에서 평등과 자유가 실현됩니다. 이날은 신분적, 경제적, 성별, 나이, 인종 그 외 세상에서의 모든 차별이 무너지는 날입니다. 왜냐하면 창조 세계에 허락된 모든 피조물이 쉬는 날입니다. 나와 너, 그리고 우리, 우리 주변의 모든 공동체와 자연과 동물들도 온전한 회복과 쉼이 있는 날이기 때문에 그렇습니다. 그렇게 우리 가운데 차별과 절망의 아픔을 매 7일 마다 회복하고 연습할 때 나머지 6일에도 그러한 거룩한 영향력은 세상 속에 미치게 될 것입니다. 올해 필자가 속한 교단의 총회 주제가 '거룩한 교회, 세상 속으로'입니다. 거룩한 주일이 온전해 지면 그 영향력은 하나님이 창조하신 창조세계 모든 피조물과 모든 공동체에 그 영향을 미칠 것입니다.

> 믿는 사람이 다 함께 있어 모든 물건을 서로 통용하고 또 재산과 소유를 팔아 각 사람의 필요를 따라 나눠 주며 날마다 마음을 같이하여 성전에 모이기를 힘쓰고 집에서 떡을 떼며 기쁨과 순전한 마음으로 음식을 먹고 하나님을 찬미하며 또 온 백성에게 칭송을 받으니 주께서 구원받는 사람을 날마다 더하게 하시니라 / 신약성서 개역개정 사도행전 2장 44-47절

하나님께서 한국교회에 묻고 계십니다. 우리가 하나님께서 허락하신 안식일, 그리고 예수 그리스도의 주일을 온전히 고백하고 있느냐고? 그것을 예수 그리스도를 고백하는 하나님의 백성으로서 온전히 고백하고 있다면 사도행전의 처음교회의 역사가 지금도 우리 가운데 역사로 증명되어야 한다고. 처음교회의 회복의 시작은 안식일, 즉 주님의 날을 우리의 삶에서 완전하게 고백해야하는 것입니다.

제 8 계명

안식년을 기억하고 준비하라

1.여호와께서 시내 산에서 모세에게 말씀하여 이르시되 2.이스라엘 자손에게 말하여 이르라 너희는 내가 너희에게 주는 땅에 들어간 후에 그 땅으로 여호와 앞에 안식하게 하라 3.너는 육 년 동안 그 밭에 파종하며 육 년 동안 그 포도원을 가꾸어 그 소출을 거둘 것이나 4.일곱째 해에는 그 땅이 쉬어 안식하게 할지니 여호와께 대한 안식이라 너는 그 밭에 파종하거나 포도원을 가꾸지 말며 5.네가 거둔 후에 자라난 것을 거두지 말고 가꾸지 아니한 포도나무가 맺은 열매를 거두지 말라 이는 땅의 안식년임이니라 6.안식년의 소출은 너희가 먹을 것이니 너와 네 남종과 네 여종과 네 품꾼과 너와 함께 거류하는 자들과 7.네 가축과 네 땅에 있는 들짐승들이 다 그 소출로 먹을 것을 삼을지니라 / 구약 성서 개역개정 레위기 15장 1-7절

* 시간의 최종적 열매 - 안식년

안식일의 연장선상에서 연결되는 것이 안식년입니다. 안식년은 안식일을 훈련하는 하나님의 백성의 결과물이고 산물입니다. 또한 안식년을 준비하기 위한 안식일이기도하기 때문입니다. 하나님의 날로서 거룩하고 참된 안식일은 안식년으로 가기 위한 생활과 삶의 거룩한 축적이 되며, 시간에 대한 삶의 신앙 고백이기도합니다. 안식일을 온전히 고백할 수 있고, 그것을 지켜낼 수 있는 사람만이 안식년을 온전히 준비할 수 있습니다. 안식일과 안식년은 그 행위로서의 형식적인 율법적 요건보다 더 중요한 것은 이 안식이라는 용어가 가지는 궁극적인 의미를 기억하고 그 목적을 알아야 합니다. 결과적으로 안식일과 안식년의 참된 의미는 예수 그리스도가 안식일의 주인인 것처럼 우리 삶의 고백이 '예수 그리스도가 주인 되게' 하는 상징적이고 예표적인 의미가 크기 때문입니다. 그러므로 일, 년이라는 시간적인 용어와 그 질서가 결국 우리는 하나님 품 안에서 살아가는 천국의 모형이며 모델로서의 이 땅에서의 훈련이기 때문입니다.

시간의 최종적인 열매로서 안식년은 그 구체적인 부분을 면밀히 살펴보면, 하나님을 신뢰하는 인생으로서의 주신 하나님의 재화의 공유와 나눔, 생명존중으로서의 인권 보호와 동물의 생명을 보호하는 자리이며 동시에 물욕을 제거하고 절제하는 훈련으로서의 창조 세계 모든 것에 대한 '낙원'의 시도와 모델이기 때문입니다. 이 안식년은 후에 희년으로 더욱 확장되어 나갑니다. 이 같은 안식년과 희년의 축복과 기쁨이 토지 곧 인간이 거하는 자연 환경에까지 확장되고 있습니다. 하나님 한 분의 창조주 안에서 인간과 자연은 모두 다 안식의 기쁨을 누려야 하는 것입니다. 그런 면에서 안식년이 우리에게 사회 경제적으로 주는 삶에의 영향력은 매우 크다고 할 수 있습니다.

- 안식년은 하나님께 잘 묶이는 방법입니다.

한 사람이 딸과 함께 계곡에 수영하러 갔다가 급류를 만났다. 어떻게 하면 딸을 구해낼 수 있겠습니까? 다급한 나머지 보통은 급하게 뛰어들려고 할 것입니다. 그러나 그것은 다 죽는 길입니다. 딸을 안전하게 구해내려면 우선 냉정하게 생각하고 큰 나무 곁으로 이동해 자신의 몸을 나무에 견고하게 잡아매야 합니다. 그런 뒤 딸이 소용돌이에 밀려나와 자신의 앞을 지나갈 때 재빨리 붙잡아 밖으로 끌어내야 합니다. 언제나 다른 사람을 구하려는 사람은 먼저 자신을 나무에 잘 묶어야 합니다. 자신은 하나님께 잘 묶지 않으면서 바쁘기만 사람들 때문에 교회는 항상 소란스럽습니다. 자신을 하나님께 묶는 시간이 소모적이라고 생각한 사람은 물에 뛰어든 뒤에 언제나 후회하게 됩니다. 기도가 시간 낭비요 안식일과 안식년은 소모적이라고 느끼는 사람이 많지만 사실이 아닙니다. 하나님 앞에 나를 묶는 시간은 언제나 생산적이요 효율적입니다. 그런 면에서 안식일과 안식년이 주는 의미는 매우 큽니다.

우리 모두를 살려내는 것이 바로 하나님이 주신 이 제도라는 것을 명심해야 합니다.

엘리야가 세미한 음성을 들었던 것은 갈멜산이 아니라 호렙산입니다. 갈멜산의 엘리야는 승리에 도취해 있었기 때문에 세미한 음성을 들을 수 없었습니다. 엘리야는 갈멜산 때문에 유명해졌지만 호렙산 때문에 성숙해졌습니다. 영적 리더십은 언제나 하나님 앞에 선 시간에 비례합니다. 리더십은 다른 사람을 관리하는 기술이 아니라 하나님 앞에서 자기를 관리하는 능력입니다. 하나님 앞에서 자기를 잘 묶는 자만이 다른 사람들을 잘 묶을 수 있습니다. 또 잘 묶어야 잘 풀 수 있습니다. 우리가 하나님 앞에 온전하게 묶이는 방법은 바로 하나님이 허락하신 하나님과 소통하는 '안식'의 기술입니다. / 전주 희년교회 이윤재목사의 칼럼 편집

* 안식년의 사회 경제적 의미

안식년과 희년은 일상의 세상의 일을 잠시 접어두고 그 각 절기의 의미를 중심으로 하나님과의 관계를 새로이 하며 영적 성장에만 전념한다는 히브리적인 일반적 목적 이외에도 이 절기를 기점으로 선민 사회 구성원 모두에게 사회, 경제적 기본권을 회복케 하여 선민 사회 구성원 모두 근본적 평등을 회복케 함으로써 선민 사회의 안정과 평화를 갱신시킨다는 목적도 담겨 있습

니다.

사실 안식년과 희년 규례를 세부적으로 살펴보면 그 일 년 동안의 무슨 특별한 의식적, 절차적 규정보다는 이를 기점으로 선민 사회의 구성원 모두에게 특히 그동안 여러 이유로 자신의 땅이나 가옥을 팔거나 남의 밑에서 종노릇함으로써 사회, 경제적 기본 신분조차 유지할 수 없었던 자들에게 그 사회, 경제적 기본 신분을 회복하게 하기 위한 규정 중심으로 되어 있음을 알 수 있습니다. 이것은 하나님의 백성들인 이스라엘 민족들이 이룬 선민 사회 안에 지나친 계층 간의 차이가 고착되는 것을 미연에 방지함으로써 선민 사회의 갈등을 최소화하고 평화와 공영의 길을 도모케 하기 위한 하나님의 방법입니다.

* 하나님의 백성의 거룩 – 안식년을 기억하고 지키는 것

하나님께서 이스라엘 백성들에게 일상생활 중에 선민으로서의 거룩함을 유지하기 위한 규례를 주시는 중에 이 같은 선민 사회 구성원 각자의 사회, 경제적 기본권의 회복과 이스라엘 사회 전반의 기본적 평등의 회복을 주목적의 하나로 하는 안식년과 희년의 규례를 주신 것은 인간의 현실에 대한 깊은 이해에 바탕을 둔 것입니다. 즉 인간이 그 거룩함을 시키기 위해서는 그 개인의 영적, 도덕적 차원에서의 거룩함을 지키려는 노력뿐만 아니라 육적 사

115

회적 차원에서의 기본적 존엄성의 유지도 필요하며 따라서 이를 위해서는 그 구성원 모두에게 기본적 존엄성과 생존권을 평등하게 보장해 주는 사회 일반의 구조적 제도도 필요하다는 현실적 이유에 바탕을 둔 것입니다.

* 개인의 노동력의 참된 가치의 인정과 공동체적 가치 공유의 원리

희년 등을 기점으로 하여 선민 이스라엘의 기본권을 보장하기 위한 규례들은 주로 토지와 가옥 및 노예 제도와 관련해서입니다. 이것은 선민 이스라엘은 장차 일단 가나안 땅을 서로 공평하게 분배하여 가진 후 근본적 생산 기반이 되는 토지나 가정생활의 근간이 될 가옥은 절대 영구 매매할 수 없고 다만 희년을 기준으로 임시 임대할 수 있었습니다. 그리고 각 선민 개인 역시 영구히 종이 될 수는 없으며 다만 임시로 고용될 수 있다고 규정하고 있습니다.

이처럼 제한적 임차 내지 고용만을 허용한 것은 사유 재산제에 바탕을 둔 세속 일반의 경제 논리를 인정하면서도 동시에 하나님의 선민이 된 이스라엘의 기본권은 원천적으로 보장되게 하기 위해서였습니다. 여기서 우리는 개인의 능력과 노력의 차이로 인한 사유 재산상의 차이는 인정함으로써 개인의 창의력과 근본 의욕을 고취시키면서도 각 개인에게 그 근본적 생활 기반과

116

한 인격으로서의 기본권은 절대 보장해 주는 '성경적 경제원리'의 기본원칙을 만나게 됩니다.

* 영원한 경제 원리 - 자유 시민 정신의 근간

안식년 및 희년 관련법에는 사람들이 사회생활의 각 부분에서 영원한 원리로 삼아야할 요소들이 많이 있습니다. 인간 생활의 가장 원초적 근거요 모든 생산 활동의 궁극적 기반이기도 한 토지는 이스라엘 민족에 대한 출애굽 구원 및 가나안 정복 사건에 근거하여 궁극적으로는 오직 하나님께 속한 것이며 선민 각자는 그 땅을 하나님으로부터 공평히 분배받아 쓰고 있는 것에 불과하다는 토지에 대한 하나님의 궁극적 소유권 내지 선민 공동 소유 개념 그리고 각 개인의 청지기적 토지 보유 및 이용 개념 등이 그 첫째입니다. 그리고 선민은 선민 모두를 구원하여 주신 하나님 안에서 근본적으로 영원히 자유하다는 '자유 시민 정신'도 내포하고 있음을 기억해야 합니다.

* 하나님의 백성 공동체 - 평등과 박애 정신의 실현

하나님의 백성 공동체는 서로를 한 분 구원자요, 통치자이신 하나님으로부터 함께 보호하심과 다스리심을 받는 동등한 형제로 여겨야 합니다. 또한 대상을 이윤추구나 착취의 대상으로 여기지 말아야하고 항상 선대해야 합니다. 또한 혈족을 단위로 한 토지 및 친족 무르기 제도에서는 공동 구제의 정신을 배워야 합니다. 안식년과 희년의 법은 실로 모든 구약 율법 중에서도 하나님의 백성 모두의 기본권의 보장과 근본적 평등을 통한 사회 복지의 구현을 위한 위대한 원리들을 집약, 응축하고 있는 혁명적 규례였습니다. 이것을 반드시 기억해야 합니다. 이것은 인간을 존중하고 인권을 보호하는 현대적으로도 매우 큰 의미를 가지고 있는 것입니다. 인권은 하나님으로부터 오는 것이기에 절대적인 것입니다. 이것은 실제적으로 사람과 사람과의 관계적 측면보다는 더욱 확연하게 드러나는 것은 하나님이 우리에게 명령하신 명령임을 기억할 때 절대적인 계명으로서 작용하는 것입니다. 그 무게는 그래서 매우 큰 것입니다. 오늘날의 '미투'운동의 섭리와 역사에 하나님의 말씀이 세상에 확연히 드러나면 있지도 않을 아픔들이 너무나 많이 있음이 안타까울 뿐입니다. 안식년은 경제적인 문제를 넘어서 생명존중과 인권까지 연결됨을 기억해야 합니다.

- 문둥이 섬의 성자

오늘날 세상의 낙원이라 불리는 하와이 섬은 지금으로부터 100년 전만 하더라도 문둥병자들을 모아서 하와이 북부의 몰로카이라는 외딴 섬으로 이주시켰습니다. 그때에 '따미엔'이라는 신부는 그들 문둥병 환자들에게 복음을 전할 사명을 느끼고 몰로카이 섬으로 갔습니다.

따미엔은 아침부터 저녁까지 환자들을 위하여 기도하고 기회 있는 대로 그들을 위로하며 진리를 설교하였습니다. 그러나 저들의 마음은 굳게 닫혀 움직이지 않았습니다.

"흥! 하나님의 사랑이 무슨 말이냐? 하나님께 사랑이 있다면 우리들과 같이 병에 걸려 시달리며 고통당하고 있는 것을 버려둘 리 없잖은가?"

"흥! 감사하라고? 그것은 당신 같은 건강한 사람이나 할 수 있는 잠꼬대 같은 소리란 말이야." 이렇게 빈정대기 일쑤고 비웃기만 했습니다.

따미엔은 어느 날부터 하나님께 이렇게 기도하기 시작했다. "하나님이시여 저로 하여금 문둥병자가 되게 하여 주소서. 그리하여 그들의 심령을 깨우치게 하소서."

마침내 따미엔의 기도에 응답이 왔다. 그의 손바닥엔 병의 징조가 생기기 시작하였고 그의 몸은 썩어 뭉그러져 냄새나기 시작했습니다. 그러나 따미엔의 영은 그와 반대로 더욱 새로워져서 충만한 영력을 얻어 힘 있게 그들에게 외치게 되었습니다.

"사랑하는 형제들이여 나를 보시고 나의 얼굴과 손과 신체를 보시고 나의 기도에 대한 하나님의 응답이 있어 나의 형체는 날로 변해가고 있습니다. 그러나 나의 영혼을 보시오. 하나님을 믿고 하나님의 사랑을 받는 나의 영혼은 더욱 정화되어 감사에 넘치고 있지 않습니까? 공중에 구름이 어떻게 되던지 그 속에는 푸르고도 맑은 창공이 있음과 같이 나의 육체는 어떻게 되던지 그 속에는 영원히 평화로운 영혼이 있는 것입니다. 사랑하는 여러분! 그러므로 나를 본받아 주 예수를 믿으시오."

이 말에 모두 감격하여 예수를 믿게 되었습니다. 그리하여 몰로카이 섬에는 자살자가 없어지고 살기 좋은 세계로 변하여 평화스러운 세계가 되었으니 실로 성 따미엔의 위대한 희생적 사랑이 새로운 세계를 이룩하게 된 것입니다.

따미엔 신부는 문둥이로 죽었으나 그의 동싱은 문둥이들의 손으로 깨끗한 얼굴로 만들어졌습니다.

그래서 사랑이라는 것의 첫 번째 시작은 예수 그리스도처럼 그가 우리 곁으로 오사 우리와 같은 낮은 곳에 오신 것처럼 우리에게 허락된 모든 공동체에 대해서 우리는 동일한 동질성과 함께 하는 정서적 연대성이 있어야하는 것입니다. 평등과 박애의 정신은 바로 그 출발이 따미엔 신부와 같은 문둥병(한센인)처럼 되는 것이었습니다. 사랑은 동화 되는 것입니다. 그러므로 우리의 공동체나 혈족을 위해서는 자기 것을 드리고 나누는 자리로 가는 것입니다. 하나의 공동체는 하나의 환경, 감정, 실존이 되어 가는 것입니다.

내가 너희에게 주는 땅

레위기 15장 1절에 '내가 너희에게 주는 땅'이라는 원어를 잘 살펴보면 '내가 너희에게 주고 있는 그 땅'으로 직역할 수 있습니다. 이 말의 의미는 '현재 지속적으로 땅을 유지시켜 주시는 분이 하나님이시다'라는 의미입니다. 이 유지라는 말은 그 땅에서 우리 인생이 생존할 수 있는 충분한 것을 공급하시는 분이라는 뜻입니다. 창조주 하나님의 인생에 대한 사랑과 섭리의 끊임없으신 애정을 동원하여 역사하시는 그것으로 지금 우리는 그 땅을 통해 모든 것을 공급받는 것입니다.

* 하나님이 주시는 땅 - 지속적인 공급과 통치

이 땅에 대한 지속적인 공급을 통해 땅의 모든 통치와 주권이 하나님께 있다는 것을 기억하고 명심해야하는 합니다. 하나님께서 주신 땅을 풍성한 수확을 계속 주실 수도 있고, 황폐하게 하여 가시와 엉겅퀴를 내게 하실 수도 있는 것입니다. 그런 면에서 땅은 하나님의 통치아래 있고 하나님의 소유이기에 하나님으로만 연결되어 있습니다. 그러므로 땅에 대한 인생의 고백은 땅의 주권자이신 하나님을 땅을 통하여 날마다 고백하며 감사해야 하는 것입니다. 땅에 대한 하나님의 말씀에 귀를 기울여 그 말씀에 순종해야 땅이 하나님이 원래 창조했던 창조의 원형대로 보존될 수 있는 것입니다.

너는 여섯 해 동안은 너의 땅에 파종하여 그 소산을 거두고 일곱째 해에는 갈지 말고 묵혀두어서 네 백성의 가난한 자들이 먹게 하라 그 남은 것은 들짐승이 먹으리라 네 포도원과 감람원도 그리할지니라 / 구약성서 개역개정 출애굽기 23장 10-11절

* 휴경(休耕) - 땅의 주권은 오직 하나님께 있습니다.

계속 언급하고 있는 레위기 15장 1절 말씀에 '그 땅으로 여호와 앞에 안식하게 하라'는 이 부분을 세밀하게 살펴보면 더 명확하게 땅에 대한 하나님의

소유됨을 알 수 있습니다. 사실, 우리는 땅의 거류자이지 소유자가 아닙니다. 오직 하나님만이 땅의 영원한 소유자임을 인정하고 우리는 고백해야합니다. 아직 이스라엘 백성은 가나안 땅에 들어가지 않았습니다. 하나님은 들어가지도 않은 광야의 이스라엘 백성에게 명령하고 계십니다. 가서 정복하고 차지해야하는 부담감이 있음에도 불구하고 이미 그 땅을 하나님이 이스라엘 백성에게 허락하신 전제하에 말씀하고 계십니다. 하나님이 주신 그 땅을 여호와 앞에서 안식을 지켜 내라고 말씀하고 계십니다. 왜냐하면 그 땅에 하나님의 창조 때의 속성이 내포되어 있기 때문입니다. 하나님께서는 그 땅 가운데 6년을 주기로 하여 땅의 쉼을 지정해 놓으셨기 때문입니다. 그것은 이스라엘 백성, 즉 하나님의 백성에게 땅에 거류자로서 땅의 소유자의 명령에 순종하기를 원하시는 것입니다.

* 땅의 체류인은 땅의 소유자에게 순종해야 합니다.

땅을 통해서 하나님은 우리에게 많은 것을 이루시고 공급하실 것입니다. 그렇게 예비 되어 있는 땅을 통해서 우리는 하나님의 나라의 원리를 배우게 되는 것입니다. 지상의 땅은 한시적입니다. 그러나 이 지상의 땅을 통해서 영원한 나라를 연습하고 배우게 되는 것입니다. 순종하지 않으면 땅에서 하나님이 허락하시는 많은 수확물들을 거둬들이지도 못하고 수확하지도 못하는 것입니다. 땅을 밟고 있는 모든 인생들은 그 하나님의 '선물'을 향유할 때 기쁨과 감사와 하나님의 참 복을 누릴 수 있습니다. 그것은 땅의 주인에게 유일하게 할 수 있는 체류자인 인생의 '순종'입니다. 그 순종을 통해 궁극적인 하나님의 나라를 이 땅에서 맛보게 될 것이며 그러한 순종의 연결과 지속성을 통해 '천국'을 확인하고 맛볼 수 있을 것입니다. 천국은 이 땅에서 하나님께 '순종'하는 인생들에게 보장된 것입니다.

- **순종하는 즐거움**

우리가 살고 있는 지구는 태양이라고 부르는 별의 주위를 돌고 있는 작은 행성입니다. 태양은 지구보다 130만 배나 크지만 우주에는 태양보다 백만 배나 더 밝은 별들도 많이 있습니다. 은하계에는 약 1천억 개의 별들이 있으며, 은하계의 길이는 10만 광년에 이른다고 합니다. 1광년은 대략 10조km 정도가 됩니다. 태양은 1초에 250만km 움직이며, 은하계에 있는 궤도를 한 바퀴 도는 데에 2억년 정도가 소요됩니다. 태양계가 속해 있는 것과 같은 은하계는 수백만 개에 이릅니다. 다시 한 번 성경 말씀에 귀를 기울여 보면 시편 147편은 하나님께서 모든 별의 수효를 계수하셨다고 했으며, 뿐만 아니라 그 모든 별들을 다 이름대로 부르신다고 했습니다.

캐서린 데이비스(Katherine Davis)가 지은 '움직이는 모든 만물'(Let All Things Now Living)이라는 찬송을 부를 때마다, 그 가사가 너무 좋아 미소를 지을 수

밖에 없습니다.

"그분이 세우신 법칙을 따라 별들이 제 길을 돌고, 태양도 제 길 따르며 순종하며 빛을 발하네."

'순종하며'라는 표현이 너무나 잘 어울리지 않습니까? 하나님께서는 태양의 이름을 정해 놓으셨다. 그분이 태양의 이름을 부르며 해야 할 일을 알려주시고 계십니다. 그리고 태양은 순종합니다. 무한히 많은 별들이 모두 그렇게 순종하고 있습니다. 별들과 행성들을 구성하는 요소의 모든 분자 속에 있는 전자들뿐 아니라, 로드 아일랜드 주의 계곡 바위 밑에 서식하는 상어의 아가미 속의 분자들도 순종합니다. / 존 파이퍼

* 땅의 안식 : 나눔과 공유의 원칙

안식년의 소출은 너희가 먹을 것이니 너와 네 남종과 네 여종과 네 품꾼과 너와 함께 거류하는 자들과 네 가축과 네 땅에 있는 들짐승들이 다 그 소출로 먹을 것을 삼을지니라. / 구약성서 개역개정 레위기 15장 6-7절

땅의 안식년은 땅에 대한 공동 소유를 의미하고 있습니다. 안식년에 생기는 소출에 대하여 하나님에게 허락된 하나님의 백성과 그들과 함께 하는 종들과 일꾼들과 나그네와 심지어 가축까지 함께 먹으며 들짐승도 그것을 공유합니다. 한 발 더 나아가면 생명존중의 의식이 이 안에 바탕을 두고 있는 것입니다. 사람들이 이용하는 가축만이 아니라, 들짐승에게까지 공급하시는 하나님을 통해 생명존중을 통해 동물의 생명을 보호하는 더 넓고 풍성함의 삶의 영역을 확인할 수 있는 자리인 것입니다. 또한 여기서 얻어지는 자연적인 소출은 인간의 노동이나 땀이 없이 스스로 열매를 맺는 것에 대해 사람이 소유권을 주장할 수 없음을 의미합니다. 왜냐하면 그것은 사람이 땀의 대가가 아니고 하나님이 주신 하늘의 산물이고 그것은 땅을 밟고 있는 누구에게나 허락된 것이기 때문입니다.

안식년은 땅이 쉼을 얻어서 다음해 풍성함을 준비하는 과정이면서 동시에 함께 하는 공동체에게는 안식년은 '은혜의 해'이며 '감사의 해'가 되기도 하는 것입니다. 누구에게나 허락된 땅의 산물을 통해 하나님께 감사하며 그 땅을 거류하는 모든 인생들에게 공존을 통해 나눔과 공유를 실천하며 기업으로 땅을 맡은 이스라엘 백성들에게는 인간적인 욕망들과 욕심들을 절제할 수 있는 훈련과 연습의 해 이기도합니다. 그러므로 안식년이 가지는 특징적인 의미는 공동체성, 욕망의 절제를 통해 하나님의 공급을 나눔, 하나님이 허락하신 그 해를 통한 은혜와 감사를 누릴 수 있는 다양한 유익들로 하여금 하나님의 선하심을 통해 땅 가운데와 그 속에 함께 살아가는 모든 사람들에게 '하나님께 영광' 돌릴 수 있는 위대한 날들 이기도합니다.

- 지식 나눔

몇 해 전부터 필자의 교회(을지로교회)에서는 어린이들을 위한 독서스쿨, 중고생들을 위한 공부방을 운영하고 있습니다. 모든 것은 청년들과 일부 목회자들이 먼저 배웠던 독서법과 논술, 교과목을 가르쳐 주고 있습니다. 모든 것이 무료입니다. 그리고 이것을 통해 학부모님들은 사교육비를 줄일 수가 있고, 학생들은 선배들과 함께 공부를 배우며 가르치면서 학업적인 코이노니아를 함께 누릴 수 있는 기회가 되어서 신앙적으로도 매우 유익이 되는 시간이었습니다.

주일학교의 한계를 극복하기 위한 주중학교의 일환이었고 학생 수가 많지는 않지만 소수 인원들이 함께 하고 연대감을 누리는 좋은 공동체가 되었습니다. 또한 독서스쿨을 통해 초등생들과 학부모들이 함께 하는 수업이 되며 학부모님들의 독서 공동체를 통해 자녀들과 함께 학부모들과 의미 있는 공동체를 만들어 감을 통해서 지식의 나눔이 결국은 의미 있는 공동체를 만들고 그것을 통해 경제적, 사회적인 어려움들을 작지만 극복하고 있다는 것에 큰 의미가 있는 것을 확인 할 수 있습니다. 가정에서 자녀들이 하나, 둘의 핵가

족화 속에서 독서, 학습 공동체 속에서 선후배간에 친구들 간에 배려하고 이해하고 나누는 것을 학생들 스스로 배울 수 있는 좋은 기회가 되었습니다. 이렇듯이 나눔의 다양성을 통해 하나님 원하시는 선하고 아름다운 공동체를 세워 나갈 수 있는 것입니다.

* 경제적 고통을 당하는 자의 안식-면제년

매 칠 년 끝에는 면제하라 면제의 규례는 이러하니라. 그의 이웃에게 꾸어준 모든 채주는 그것을 면제하고 그의 이웃에게나 그 형제에게 독촉하지 말지니 이는 여호와를 위하여 면제를 선포하였음이라 / 구약성서 개역개정 신명기 15장 1-2절

몇 해 전 '지구촌 뉴스'라는 프로그램에서 본 외국의 어떤 교회가 생각납니다. 성도들이 카드빚으로 고생하니까 전 교인들이 헌금을 하면 순번대로 돌아가서 빚 있는 사람들을 짐을 덜어 준다고 합니다. 56명씩이나 구제해준 그 교회는 많은 카드빚으로 절망하는 성도들에게 극단적인 일이 생기지 않기 위해 노력하는 모습이었습니다. 그리고 성도들 보는 앞에서 목사님은 가위로 여러 개의 카드를 잘라버리고 그 날 드려진 헌금을 순 번 당한 교인에게 전해 준다고 합니다. 그러나 이러한 내용은 하나의 행사일지 아닐지는 모르지만 지속적으로 생산적이거나 의미 있는 모습은 아닌 것 같습니다. 이미 신명

기에는 면제년이라는 제도가 있습니다.

'매 칠 년 끝에는 면제하라'는 말은 안식년에는 부채를 진 사람들이 정신적인 고통이나 노동에서 쉼을 얻게 하기 위한 것입니다. 여기에는 여러 가지 논의가 있습니다. 6년간의 빚을 완전히 탕감인지, 아니면 7년째 되는 안식년에만 잠시 유예를 주는 것인지에 대하여서 말입니다. 그러나 후자가 더 설득력이 있습니다. 다음 장에 나올 '희년'은 완전한 탕감이기 때문에 이 7년째의 안식은 빚 진자도 온전한 안식년이 되게 하기 위해서입니다.

여기에 '면제하라'의 원어는 '타아세 쉐밋타'는 '행하다'는 의미를 가지고 있는데 이것은 '쉬게 하라' '자유롭게 하라'는 의미를 포함하고 있습니다. 즉 이 원어를 그대로 살리면 ' 모든 부채로부터 자유로움'이라는 의미가 되는 것입니다. 모든 것이 쉼을 얻고 자유로워지는 것에 대해서 예외가 있을 수 없는 것입니다. 빚진 자 또한 이 안식년에 힘을 얻고 기회를 얻어 다시 안식년이 지나면 그 부채를 갚을 수 있는 힘과 능력을 유지할 수 있기 때문에 이것이 부채를 가진 사람들에게는 얼마나 큰 힘과 소망이 될지 알 수 있습니다. 요즘 모든 교회들이 '빚 가운데 거함'이라는 농담도 있습니다. 많은 교회들과 성도들이 부채로 인해 고통 받고 이 땅의 많은 사람들이 경제적 빈곤과 채무로 인해 정신적인 스트레스와 아픔을 이기지 못해 병을 얻거나 극단적인 경우 '자살'까지 하는 경우가 허다합니다. 그런데 이러한 안식년의 면제년 제도가 있다면 그들에게 살 희망과 소망이 생기니 얼마나 사회적 피해와 아픔을 줄 일 수가 있을까요? 성경에서 말하는 모든 제도는 우리의 삶에 소망과 위로를 주고도 남음이 있습니다.

- 작은 빚 갚아 주기와 자립의 1+1

부평에 속한 36개 감리교회의 모임인 기감 부평서지방회가 지방내 작은 교회의 자립화, 도약화를 지원하기 위한 선교사업의 일환으로 스타렉스(승합차) 지원 사업과 빚 갚아주기 운동을 펼치고 있어 눈길을 끌고 있습니다.

부평 서 지방은 우선 올해 지방 내 작은 교회 중에 차량구입이 절실한 5개 교회를 선정하여 해당 교회가 1천 5백만 원을 준비하면 차량구입에 필요한 나머지 금액 1천만씩 총 5천만 원을 지원하기로 했습니다.

이 방침에 따라 조건을 갖춘 5개 교회 중 1개 교회에 승합차량 인도가 완료됐고 나머지 4개 교회는 출고를 기다리는 중입니다.

전액을 지원하지 않는 이유는 해당 교회의 자립의지와 자구노력을 이끌어 내기 위한 방편으로 보입니다. 교회가 일정 금액을 준비하면 같은 금액을 지원하는 일종의 1+1 방식을 적용함으로써 동기유발과 책임감을 극대화하는 효과를 냈습니다.

올 해 승합차 지원 대상교회는 오름교회, 충헌교회, 부활교회, 어울림교회, 사랑교회 등 5개 교회 였다고 합니다. 이중 사랑교회는 재정상황이 열악해 지방의 감리사(이인구 목사)가 지방내 교회의 협조를 얻어내어 교회준비금 1천5백만 원을 마련해 주었습니다. 교회가 준비해야할 1천 5백만 원 이외의 차량구입액(약 5천만 원)은 지방내의 부평교회(홍은파 목사)가 전액 지불했습니다. 부평교회는 부담금을 정직하게 내는 교회로 널리 알려져 있습니다. 부평 서 지방은 이후로도 매년 한 두 교회를 선정해 승합차 지원 사업을 펼쳐 간다는 방침이라고 합니다.

부평 서 지방은 또 올해부터 교회 빚 갚아주기 운동도 적극적으로 전개해 가기로 했다. 빚 때문에 고통당하는 교회를 선정하여 지방내의 모든 교회가 십시일반으로 기금을 모아 전달하는 방식입니다. 다만 이 경우 역시 일방적으로 전액을 갚아주는 것이 아니라 교회가 빚을 갚기 위해 일정액을 모은 만큼 지방에서 같은 액수를 지원한다는 조건입니다. 앞서 차량지원의 경우와 마찬가지로 해당교회의 의지와 자구노력을 이끌어 내기 위함이다. 이미 한 교회가 5천만 원 목표로 기금을 모으고 있는 중이며 지방의 교회들 역시 이 액수만큼 기금을 만들어 가고 있다고 합니다.

* 안식년은 경제적 자유와 쉼, 인권의 회복

그리고 공동체의 회복과 현대적 적용에 대한 제언

우리는 안식년의 기준을 어떻게 잡아야 할까요? 목회하시는 목사님들도 사실 안식년을 하기가 매우 어려운 사회 문화적인 정서가 많이 있습니다. 이 안식년을 두신 하나님의 뜻을 통해서 이 땅을 살고, 살아가야 하는 우리 모두에게 많은 의미가 있습니다. 그리고 그것은 이론적인 내용이 아니라 우리들의 삶의 실재이며 현실적인 대안이 될 수 있습니다. 성경적 경제의 출발인 안식일, 즉 주일은 명확하지만 안식년은 사람마다 다 다를 수 있습니다. 이러한 배경에서 우리는 우리에게 적용할 안식년을 고민하면서 그 안식년을 다 쉴 수는 없습니다. 앞의 내용을 온전히 정리하면 세 가지로 정리할 수 있습니다. 경제적인 쉼, 인권, 즉 노동자 자신의 쉼에 대한 고민, 그리고 주신 공동체에의 적용 이 부분입니다. 이러한 부분을 어떻게 현대적으로 적용하며 만들어 가는 것이 우리의 과제가 아닌가 생각합니다.

안식년이 가지는 의미를 우리 삶에 적용하기 위해 지금부디 출발해야 합니다. 먼저 쉼이 필요한 사람은 안식년을 준비하면서 안식년을 두고 경제적인 자유를 위해 저축하거나 여행을 가거나 자기 발전에 투자하거나 거룩한 신앙적인 훈련을 준비하는 등 적극적인 안식년을 준비하는 것이 필요합니다. 그리고 이것은 우리 주변의 사람들에게 안식년에 대한 바른 이해를 통해 농경 사회가 아닌 산업 사회에서 조직과 공동체에 이러한 의식을 소극적으로는 개인 개인의 삶의 내용과 질에서의 변화가 필요하며 더 나아가 소그룹 공동체 안에서 이 안식년을 준비하는 것도 중요합니다. 그 공동체가 안식년을 위해 협동 기금을 마련하고 그 기금을 공동체 일원들과 더 나아가 주변의 빈곤한 자들을 돕는 경제적 나눔과 노동과 정서적이고 예술적인 나눔을 세워 나가는 것이 우리들의 과제가 아닌가합니다. 수천 년 전의 성경이 내용이 화석화 되지 않고 우리 삶에의 적용하는 많은 사례들이 앞으로 더욱 많은 근거가 되어서 성경적 경제 속에 안식년의 그 위대한 진리가 많은 인생들에게서 온전한 복음의 또 다른 영역으로 세워지길 소망합니다. 이러한 안식년의 훈련과 연습은 예수 그리스도와 함께 누릴 영원한 안식의 예표요 상징이고 연습입니다. 이 복음의 강렬함을 안식년을 통해 누려야 하는 모든 세대가 안식년을 간과 하지 않길 소망합니다.

제 9 계명

인생의 희년을 선포하라!

너는 일곱 안식년을 계수할지니 이는 칠 년이 일곱 번인즉 안식년 일곱 번 동안 곧 사십구 년이라 일곱째 달 열흘날은 속죄일이니 너는 뿔 나팔 소리를 내되 전국에서 뿔 나팔을 크게 불지며 너희는 오십 년째 해를 거룩하게 하여 그 땅에 있는 모든 주민을 위하여 자유를 공포하라 이 해는 너희에게 희년이니 너희는 각각 자기의 소유지로 돌아가며 각각 자기의 가족에게로 돌아갈지며 그 오십 년째 해는 너희의 희년이니 너희는 파종하지 말며 스스로 난 것을 거두지 말며 가꾸지 아니한 포도를 거두지 말라 이는 희년이니 너희에게 거룩함이니라 너희는 밭의 소출을 먹으리라 이 희년에는 너희가 각기 자기의 소유지로 돌아갈지라 네 이웃에게 팔든지 네 이웃의 손에서 사거든 너희 각 사람은 그의 형제를 속이지 말라 그 희년 후의 연수를 따라서 너는 이웃에게서 살 것이요 그도 소출을 얻을 연수를 따라서 네게 팔 것인즉 연수가 많으면 너는 그것의 값을 많이 매기고 연수가 적으면 너는 그것의 값을 적게 매길지니 곧 그가 소출의 다소를 따라서 네게 팔 것이라 너희 각 사람은 자기 이웃을 속이지 말고 네 하나님을 경외하라 나는 너희의 하나님 여호와이니라 / 구약성서 개역개정 레위기 25장 8-17절

- 희년의 사람 남강 이승훈

남강(南岡) 이승훈(이昇薰, 1864~1930) 선생은 극심한 가난 속에서도 성실하게 일하여 자수성가한 사업가요, 나라의 독립을 위해 학교를 세우고 인재를 양성한 교육자였습니다. 남강은 기독교 대표로 삼일 독립선언서에 서명하고 끝까지 변절하지 않고 마지막까지 민족 독립을 위해 헌신한 기독교 독립 운동사의 큰 별이었습니다.

남강의 부모는 모두 일찍 세상을 떠나 남강은 열한 살 나이에 공장과 상점을 경영하던 한 부잣집에 잔심부름하는 사환으로 일하게 되었다. 그 집에서 먹고 지내면서 날마다 주인의 요강을 버리고 방을 쓸고 걸레질하며, 손님의 재떨이와 화로를 가져오는 허드렛일을 하였습니다.

그러면서도 주인이나 손님이 버리라고 한 붓과 종이로 남이 보지 않을 때 글씨 쓰는 연습을 했는데, 종이가 까맣게 될 정도로 몇 십 번이고 반복하였습니다. 나중에 이 사실을 알게 된 주인은 남강에게 종이와 붓을 주면서 격

려하였습니다.

남강은 그 부잣집에서 사환으로 성실하게 일하면서도 틈날 때마다 스스로 열심히 글을 읽었습니다. 남강은 자연스럽게 주인과 손님들의 대화를 들으면서 장사와 나라 사정 등 세상 공부도 하게 되었습니다.

그리고 주인이 경영하는 유기 공장에 자주 심부름을 가던 남강은 햇빛도 제대로 볼 수 없는 열악한 작업 환경에서 새까만 옷을 입은 채 귀신같은 몰골을 하고 고통스럽게 일하는 사람들을 보면서 인간의 평등에 대해 깊은 생각을 하게 되었습니다.

남강은 열다섯 살에 결혼하면서 독립하였고 열여섯 살부터 유기행상을 하였는데, 스물네 살에 그간 유기행상으로 번 돈에 다른 사람으로부터 빌린 돈을 합하여 유기 공장과 상점을 차렸습니다.

이 때 세운 공장도 애초에는 다른 유기 공장과 다를 바 없었으나, 시간이 지나면서 어린 시절에 본 유기공장 노동자의 참상이 떠올랐습니다. 그래서 그는 돈을 들여서 공장의 구조를 햇빛이 많이 들어올 수 있게 하고 먼지가 나지 않게 하여 항상 청결한 상태를 유지하게 하였습니다.

그리고 노동자들이 일할 때 입는 작업복과 일을 마친 뒤에 입는 평상복을 따로 입게 하였고, 일정하게 쉬는 시간을 주었으며, 임금을 높여 주었습니다.

그러자 그 지역의 다른 공장주들이 남강을 비난하였지만 남강은 굴하지 않고 소신대로 경영했습니다. 남강은 사업에 성공하자 그 사재(私財)로 가문의 집성촌을 만들면서, 마을의 공유 농지를 마련하였는데, 이는 빈부의 차를 없애기 위한 것이었습니다.

한 때는 청일전쟁으로 공장과 상점이 파괴되고 큰 위기에 빠졌으나, 남강은 철저한 정직의 실천으로 큰 신용을 얻었고 결국 재기에 성공하였습니다. 그리고 남강은 도산 안창호 선생의 연설에 깊은 감명을 받아 사흘 밤낮을 꼬박 고민한 끝에, 나라의 독립을 위해서는 인재 양성이 절실하다고 판단하고 오산 학교를 세워 자신의 모든 것을 쏟아 부었습니다. 땅을 팔아 오산 학교의 재산을 만들었고 독지가들을 모아서 다달이 경상비를 조달했지만 학교 재정은 언제나 부족했습니다. 남강은 교사들이 굶는다는 말을 듣자 "혼자만 밥 먹을 수는 없다. 남은 집과 세간을 팔아 학교에 주고 우리는 학교 곁에 가 학생들 밥이라도 해주면 되지 않느냐?"고 하였고 학교의 지붕에 비가 샌다고 하자 자기 집 기와를 벗겨서 지붕을 이었습니다.

이와 같은 남강의 정성어린 헌신으로 오산학교에서는 고당 조만식 선생이 교장으로 봉직하였고, 함석헌, 한경직 등 많은 인재들을 배출했습니다. 이와 같은 남강의 실천은 바로 레위기 25장에 나오는 희년(禧年) 정신과 맞닿았습니다.

남강이 유기 공장에서 노동자를 위해 편 경영방식은 가혹한 노동을 금지하고 정당한 임금을 지급하라는 희년의 노동법의 정신을 실천한 것입니다. 남강은 공유 농지를 마을에 기부하였고, 자기 땅을 팔아 오산 학교에 기부하였는데, 이것은 모든 사람은 하나님으로부터 평등한 토지권을 받았다는 희년의 토지법의 정신을 실천한 것이었습니다.

그는 일제의 고문과 옥고에도 불구하고 그 평생을 민족의 독립을 위해 바친 것은, 십자가 희생으로 우리를 구원해 주신 예수님의 희년 정신을 본받은 것이라고 할 수 있습니다. 남강은 말했습니다.

"나는 하나님을 믿는 것을 가장 큰 영광으로 생각한다. 내가 후진이나 동포를 위해서 한 일이 있다고 하면 그것은 내가 한 것이 아니고 하나님이 나를 그렇게 시키신 것이다." / 2008. 4. 26. 크리스찬 신문

* 희년, 완전한 기쁨

희년(禧年, 영어: jubilee, 히브리어: יובל, yobel 요벨)은 안식년이 일곱 번 지난 50년마다 돌아오는 해입니다. 희년은 하나님이 인생에게 주신 최고의 날이며 지상에서 인생이 느끼는 가장 행복한 날입니다. 그래서 이날은 기쁨의 날이어서 그 뜻대로 기쁨의 날입니다. 그 기쁨은 완전합니다. 하나님이 정하신

거룩하고 복된 날인 안식일과 안식년이 또한 하나님이 정하신 완전한 수의 상징인 일곱 해를 지난해입니다. 그러니까 거룩하고 복된 날로 정하신 하나님의 절기의 완전함에 완전함을 더하는 충만한 완전함의 날로 그날은 지상의 모든 고통 받는 사람들과 압제 당하는 사람들이 회복되는 기쁨의 날인 것입니다.

8.너는 일곱 안식년을 계수할지니 이는 칠 년이 일곱 번인즉 안식년 일곱 번 동안 곧 사십구 년이라 9.일곱째 달 열흘날은 속죄일이니 너는 뿔 나팔 소리를 내되 전국에서 뿔 나팔을 크게 불지며 10.너희는 오십 년째 해를 거룩하게 하여 그 땅에 있는 모든 주민을 위하여 자유를 공포하라 이 해는 너희에게 희년이니 너희는 각각 자기의 소유지로 돌아가며 각각 자기의 가족에게로 돌아 갈지며 / 구약성서 개역개정 레위기 25장 8-10절

그런데 이 기쁨의 날을 정한 것은 하나님이십니다. 사람이 아닙니다. 사람이 원하는 그런 기쁨의 날이 아닌 것입니다. 하나님이 명명하신 날, 그래서 인간의 욕구나 욕망이 실현되는 날이 아니라 하나님의 뜻이 이루어지는 날입니다. 인생은 언제든지 자신의 기쁨의 근거를 다른 사람들의 부리거나 연약한 자들에게 고통을 주게 됩니다. 그것은 한쪽은 기쁘고 즐겁지만 다른 한쪽은 억입일 수밖에 없는 것입니다. 인생의 기쁨은 기울어져 있고 어그러져 있고 반쪽 자리입니다. 그래서 항상 고통과 절망이 있는 곳이 인간 세상입니

139

다. 그런데 거기에 하나님의 방법으로 완전한 기쁨을 선포하십니다. 모든 인생은 그 명령과 규례를 따라야합니다. 그것이 인생들이 느끼는 가장 큰 즐거움이고 복된 날이 되는 것입니다. 옛말에 '근심은 나누면 반으로 줄고, 기쁨은 나누면 배가 된다'고 했습니다. 하나님은 그것을 인생들 중에 선포하시고 실현하시라고 하십니다.

- 하나님이 주시는 기쁨

하나님은 인간과 기쁘게 살기를 원하시는 분입니다. 히브리인들에게 있어서 삶의 기쁨은 하나님이며, 하나님과의 관계를 갖지 않는 삶은 의미가 없는 것으로 생각했습니다. 아무리 많은 재물, 명예가 있고 가정에 사랑이 충만해도, 그것이 하나님 없이 이루어진 것이라면 아무런 의미도 없는 것이라고 생각했습니다. 그보다는 오히려 하나님과 함께 함으로써 인간이 당하게 되는 삶의 불편과 고통과 고뇌를 삶의 기쁨을 견고하게 해주는 요소로 이해했습니다. 이런 요소들이 기쁨을 기쁨으로 알게 해주고 기쁨을 기쁨으로 느낄 수 있도록, 그래서 기쁨을 누릴 수 있도록 해준다는 것입니다. 때문에 히브리인들에게 있어서 복중에 가장 큰 복은 언제나 '하나님과 함께 하면서 삶을 즐기고 사랑하는 것'이었습니다.

성경이 말하는 '인간이 세상과 갖는 관계'는 본래 '삶을 즐기고 사랑하는 것'입니다. 신앙과 삶의 기쁨은 분리된 것이 아니라 완전히 결합되어있는 하나의 개념이기 때문입니다. 기쁨은 모든 믿는 사람에게 주시는 하나님의 선물입니다. 그래서 데살로니가전서 5장16절은 '항상 기뻐하라'고 말씀합니다. 이미 하나님께서 선물로 항상 기뻐할 만큼 기쁨의 요인들을 우리 삶에 축복으로 주셨기 때문입니다. 그리고 주셨으니 그것을 찾아 기뻐하라는 것입니다. 기쁨은 인간의 수고와 노력의 결과로서 얻어지는 것이 아니라 하나님께서 주시는 선물임을 우리는 알아야 합니다. 전도서 2:24-25절 말씀처럼 인간은 하나님을 떠나서는 아무것도 먹을 수 없고, 즐길 수도 없습니다. 하나님이 인간이 먹고 마시며 행복을 누리는 모든 것을 선물로 주시는 분이심을 알고 의지할 때 인생의 기쁨을 거두어들일 수 있게 되는 것입니다. / 유풍덕목사(백석교회)

* 희년의 출발, 대 속죄일

희년의 출발을 알리는 대속죄일(大贖罪日, the Day of Atonement)은 제 49년 7월 10일, 즉 유대 종교력 디스리월 10일에 시작하였습니다. 디스리월 10일은 유대 민간력으로는 1월에 해당하며 오늘날 태양력으로는 9, 10월경입니다. 이 대속죄일은 이스라엘 모든 백성들의 죄를 속죄하는 날입니다. 그래서 이날은 대 제사장이 모든 백성이 죄를 속죄하기 위하여 희생 제물을 바쳤고, 또한 이스라엘의 죄를 대신 진 아사셀의 염소를 광야로 보내는 날이었습니다.

> 두 염소를 위하여 제비 뽑되 한 제비는 여호와를 위하고 한 제비는 아사셀을 위하여 할지며 아론은 여호와를 위하여 제비 뽑은 염소를 속죄제로 드리고 아사셀을 위하여 제비 뽑은 염소는 산 채로 여호와 앞에 두었다가 그것으로 속죄하고 아사셀을 위하여 광야로 보낼지니라 / 구약성서 개역개정 레위기 16장 8-10절

- **아사셀의 염소**

아사셀의 염소는 속죄일의 의식에 쓰기 위해 취한 두 염소 중, 제비를 뽑아 '한 제비는 여호와를 위하고 한 제비는 아사셀을 위하여'로 기록되어 있습니다. 즉 아사셀은, 이스라엘 전 민족의 죄를 지고서 그가 사는 광야로 보내진 한 마리의 염소를 취하는 자로 추정하고 있습니다. 또는 히브리어 '아사셀'에 대하여 유대인 학자 중에는, 이 말은 히브리어 '아-자스' "강해진다." 와 '엘-'"힘"의 합성어로서, '험한 절벽'을 뜻하는 말로 해석하는 사람도 있습니다. 그러나 이 말은 '아-잘'로서 '완전한 제거', '죄의 완전 사유'의 뜻이 가장 타당한 것으로 보고 있습니다.

왜 아사셀의 염소는 그렇게 광야로 내 몬 것일까요? 그것은 이스라엘 전 민족의 죄악을 지고 간 외롭고 긴 고독으로 죄를 지고 가는 한 마리의 염소를 뜻합니다. 시편 103편 12절에 말씀을 보면 '동이 서에서 먼 것 같이 우

142

리의 죄과를 우리에게서 멀리 옮기셨으며'라는 말씀처럼 아사셀의 염소는 전 민족의 죄악을 지고 이스라엘 공동체와 멀리 멀리 떨어져 나가는 것입니다. 이것은 고독하고 외로웠던 사나이, 예수 그리스도가 연상 되기도 합니다.

세상의 죄를 지고 가는 아사셀의 어린양 예수 그리스도 요한복음 1장 29절에 말씀에 보면 **"보라 세상 죄를 지고 가는 하나님의 어린양이로다."** 예수님께서는 친히 우리의 모든 죄를 지고서 광야에 홀로 버림을 받는 아사셀의 양이 되어서 세상 죄를 지시고 가신 하나님의 어린양이십니다. 대제사장이 거룩한 옷을 입고서 1년에 한 번씩 성소의 휘장을 젖히고 법궤가 있는 곳 속죄소에 수송아지의 피를 갖고 들어가서, 1년 동안 지은 모든 백성의 죄를 대속하고, 나와서 숫염소를 하나를 택하고 제사장이 두 손으로 산 염소의 머리에 안수하여 이스라엘 자손의 모든 불의와 그 범한 죄를 모두 고하고, 그 모든 백성의 죄를 그 염소의 머리에 두어, 미리 정하여 둔 사람이 이 아사셀 염소를 이끌고 무인지경의 아무도 없는 광야에 데리고 가서 그 염소를 놓고 올 때, 모든 백성의 죄와 불의가 다 그 염소가 대신 지고 버림을 당하는 양이 바로 아사셀의 양이라고 부릅니다.

이 아사셀이라는 말을 광야의 마신 즉 사탄에게 이 모든 죄를 다시 돌려보내는 예식이고 이 아사셀의 양이 짊어지고 마귀에게 내가 지은 죄를 돌려주는 법입니다. 세례 요한은 예수님을 이 아사셀 양으로 비유하여 세상의 모든 죄를 지고서, 아무도 없는 무인지경에 버림을 당하는 하나님의 어린양이라고 증거 하였습니다. 우리의 모든 죄는 아사셀 양이 담당하고 버림받아 마귀에게 돌려줌으로, 우리는 죄가 사함 받는 구약 시대의 사람같이, 오늘날은 우리의 모든 죄를 예수님이 다 지시고 십자가에 버림당하시고 죽으셨습니다.

우리는 여기서 분명히 하나 알 것은 아사셀 양은 1년에 한 차례씩 보내질 때마다 1년 동안 지은 모든 죄가 깨끗이 사함을 받는 일입니다. 그러므로 한 번 아사셀 양에게 죄를 지워 보낸 것을 갖고서, 똑같은 죄를 또 생각해 보내는 자는 어리석은 자입니다. 아사셀 양의 목에 줄을 매어 끌고 갔으면, 그 목줄을 놓고 와야 마귀가 그 죄를 담당하는데 내가 그 줄을 놓지 않고 다시 끌고 오면 그 죄는 항상 있게 됩니다. 그러므로 우리는 주님 앞에 한번 죄를 고백 한 것은 사함 받았으니 다시 똑같은 일로 회개할 필요는 없습니다. 아사셀 양을 버리고 와야 하는데, 그 죄 덩어리 아사셀 양은 다시 끌고 오는 우를 범해서는 안 되는 것입니다. / 인터넷 자료

* 예수그리스도-하나님과의 화해, 창조 세계와의 화해

이러한 대속죄일은 규례를 통하여 인간의 죄를 속죄함으로써 하나님과 인간 사이의 화해를 이루는 날이었습니다. 바로 하나님과 회복되는 이날에 잃었던 기업이 회복됩니다. 종 되었던 자들이 해방됩니다. 빚진 자들의 부채가

탕감됩니다. 땅이 안식을 누리는 희년이 선포됨으로써 인간과 자연에도 화해가 이루어졌다는 것은 놀라운 하나님의 섭리요, 은혜인 것입니다. 즉 하나님과의 진정한 화해를 기초로 하여 인간과 자연과의 화해까지 이루어지게 되었던 것입니다.

예수님은 희년의 성취자이십니다. 공적 사역을 시작하시면서 예수님은 고향 나사렛의 회당에서 레위기 25장을 근거로 한 이사야서 61장 1-2절을 낭독하셨습니다.

예수께서 그 자라나신 곳 나사렛에 이르사 안식일에 늘 하시던 대로 회당에 들어가사 성경을 읽으려고 서시매 선지자 이사야의 글을 드리거늘 책을 펴서 이렇게 기록된 데를 찾으시니 곧 주의 성령이 내게 임하셨으니 이는 가난한 자에게 복음을 전하게 하시려고 내게 기름을 부으시고 나를 보내사 포로 된 자에게 자유를, 눈 먼 자에게 다시 보게 함을 전파하며 눌린 자를 자유롭게 하고 주의 은혜의 해를 전파하게 하려 하심이라 하였더라 책을 덮어 그 맡은 자에게 주시고 앉으시니 회당에 있는 자들이 다 주목하여 보더라 이에 예수께서 그들에게 말씀하시되 이 글이 오늘 너희 귀에 응하였느니라 하시니 / 신약성서 개역개정 누가복음 4장 16-21절 말씀

사람의 진정한 기쁨은 '자유함'입니다. 그것은 우리의 죄악을 이겨내는 것입니다. 오직 그것은 희년의 주인이신 예수그리스도를 통해서만 가능한 것입

니다. 우리의 죄악이 완전히 사해지는 날이 모든 아픔과 고통에서 해방되는 날인 것입니다. 죄에서 해방되는 포로에서의 자유함을 또한 진리를 확인하지 못한 자들에게 진리의 풍성함을 그것이 희년이고 희년은 예수 그리스도 그 자체이며 그것은 풍성함과 자유함으로 우리에게 역사하는 것입니다. 희년, 참 기쁨의 시작은 '예수 그리스도'입니다.

- 완전한 기쁨

성 프랜시스가 제자와 함께 살을 에는 듯 한 매서운 겨울 추위를 무릅쓰고 맨발로 걷고 있었다. 그때 추위에 떨던 제자가 성 프랜시스에게 사람에게 참된 기쁨이 어디 있는지 물었다. 그때 프랜시스가 이렇게 말했다.

"형제여, 우리가 아무리 거룩한 덕과 감화의 모범을 보여준다 해도 거기에 완전한 기쁨은 없소."
그렇게 추위를 견디며 걷다가 다시 프랜시스가 제자에게 말했다.

"형제여, 우리가 눈먼 자의 눈을 뜨게 하고, 마귀를 내어 쫓으며, 죽은 자를 다시 살린다 한들 거기에는 완전한 기쁨이 없소." 또 좀 더 가다가 프랜시스가 이렇게 말했다.

"형제여, 우리가 온갖 말과 지식에 능통하고, 장래일과 심지어 인간 양심의 비밀을 꿰뚫어 본다한들 거기에도 완전한 기쁨이 없소." 한겨울 살을 에는 바람은 연이어 불고 있는데 묵묵히 걷던 프랜시스가 또 이렇게 말했다.

"형제여, 우리가 선교에 아주 능하여 이교도와 불신자들을 모두 회심시켜 그리스도를 믿게 한다할지라도 거기에도 완전한 기쁨이 없소." 그렇게 대화를 나누며 가다 어느 집 문을 두드리게 되었다. 그런데 그 집 문지기가 나오더니 다짜고짜

"이 거렁뱅이 도둑놈들아!" 하며 욕설을 하며 뺨을 때리며 몽둥이로 그들을 쫓아냈다. 그렇게 쫓게 나면서 비로소 성 프랜시스는 이렇게 말했다.

"형제여, 바로 여기에 완전한 기쁨이 있소. 우리가 이 모든 것을 달게 참아 내고, 이것이 바로 복되신 그리스도께서 당하셨던 가난과 고통, 모욕이라 생각하고 즐거워한다면 바로 거기에 완전한 기쁨이 있소"

* 복음의 선포 - 양각 나팔

일곱째 달 열흘날은 속죄일이니 너는 뿔 나팔 소리를 내되 전국에서 뿔 나팔을 크게 불지며 / 구약성서 개역개정 레위기 25장 9절

'너는.. 내되'로 번역된 '하아바르타'는 '가로지르다'는 뜻의 '아바르'의 사역형 2인칭 동사로서 '너는 가로지르게 하다'란 뜻입니다. 또한 '나팔'로 번

역된 '쇼파르'는 '뿔' 또는 '양의 불'을 가리키는 말이며, 여기서는 양의 뿔로 만든 나팔이란 의미로 사용되었습니다. 또한 '소리'로 번역된 '테루아'는 '소리 높여 외치다'란 뜻의 '루아으'에서 파생한 명사로서 '기쁨의 외침', '부는 소리'란 뜻입니다. 이러한 의미를 살펴 본문을 번역하면 '너는 부는 소리가 나는 뿔로 가로지르게 하라, 너희들은 뿔로 너희 온 땅을 가로 지르게 하라' 입니다. 이처럼 본문은 먼저 희년을 선포하는 자가 먼저 온 땅을 가로지르며 나팔 소리를 울리고 그를 뒤이어 온 백성이 따라서 나팔을 불라는 명령으로서 하나님의 백성이 거주하는 모든 땅에 해방과 기쁨이 선포되어야 할 것을 거듭 강조하고 있는 것입니다. / 옥스퍼드 주석 참조

진정한 희년의 기쁨은 전달 할 수밖에 없는 기쁜 소식들로 가득합니다. 기쁨은 우리의 인생에서 그것을 자랑하고 이야기하고 싶어 합니다. 왜냐하면 우리는 기쁨이라는 것이 본능적으로 보여주고 싶고 자랑하고 싶기 때문입니다. 우리의 자녀들이 학교에서 행복하고 즐거운 일이 있거나 운동회에서 달리기를 1등하거나, 공부에서 전교에서 1등하는 일이 있다면, 그것은 개인에게 복음입니다. 그것을 반드시 사랑하는 사람에게 밀하고 싶어 할 수밖에 없습니다. 그렇게 희년을 그 희년을 기다리고 경험한 사람들은 '선포'하고 '증언'할 수밖에 없는 것입니다.

* 매일 희년

복음을 선포하고 증언하는 것처럼 우리는 이 땅 가운데 구약의 절기처럼 50년 마다 한 번 씩 오는 사회 구조와 복지적인 희년을 넘어서서 이제는 날마다가 희년의 날입니다. 왜냐하면 예수 그리스도의 복음은 우리를 날마다 새롭게 하기 때문입니다.

- 무디의 전도

수십만 명을 주께로 인도한 19세기 미국의 대 부흥 전도자 무디가 하루 한 사람에게 꼭 전도한다는 원칙을 세웠습니다. 그런데 하루는 아무에게도 전도하지 못했습니다. 그날 밤 잠자리에 들었으나 책임을 완수하지 못한 자책 때문에 잠이 오질 않았습니다. 그는 다시 옷을 입고 거리로 나갔고, 밤중에 거리에 나가 전도대상을 찾는데 한 술주정뱅이를 만났습니다. 그는 다짜고짜로 "예수님을 아시나요?"라고 했습니다. 그 술주정뱅이는 화를 벌컥 내는 것이었습니다. 무디는 쫓겨 오다시피 하며 집으로 돌아왔는데 그 후 3개월이 지나 문을 노크하는 소리가 들렸습니다. 나가서 문을 열어 보니 그 술주정뱅이였습니다. 그는 고백하기를 그날 밤 "예수님을 아시나요?" 하는 말을 듣고 화를 냈으나 그 후 그 말이 내내 귓전에서 떠나지 않아 예수를 믿기로 했다고 하는 것이었습니다. 하나님의 일을 완수하지 못한 근심이 한 심령을 회개하고 구원시켰던 것입니다.

* 일상의 희년

이렇게 복음, 즉 기쁨의 소식은 그것 자체로 역사하고 능력이 있는 것입니다. 우리는 복음의 양각 나팔을 항상 소지하고 여기저기서 불어야 할 것입니다. 나팔은 그 자체로 소리가 나는 악기입니다. 그리고 그것은 입에서 바람이 나오면 소리가 나는 것입니다. 이것이 나팔의 본질입니다. 그렇습니다. 우리는 우리가 우리의 모든 삶을 주님께 맡기고 복음의 생활, 날마다 새로워지는 희년을 말씀 속에서 기억하며 실천하며 되새길 때 복음의 나팔수가 될 수 있습니다. 희년은 우리의 일상 속에서 나타납니다. 오늘도 우리의 삶속에서 나타나는 거룩한 삶의 모습, 즉 말씀이 육신이 되었던 그리고 말씀이 우리 속에 있다면 나팔의 본질처럼 우리는 그렇게 소리 내는 증언자로 살 수밖에 없는 것입니다. 복음은 우리 믿음의 각 사람에게 우리의 본질이 어떤 것인지 말씀해 주십니다. 디모데 후서 4장 2절에 분명하게 우리에게 말씀하고 계십니다. '너는 말씀을 전파하라 때를 얻든지 못 얻든지 항상 힘쓰라' 우리 몸이 희년의 나팔이 되어서 날마다 희년을 선포하는 하나님의 사람이 된다면 희년 그 자체이신 예수 그리스도의 증언되는 역사는 우리의 삶 주변에서 그리고 우리의 일상에서 일어나고 역사할 것입니다.

* 모든 민족의 자유

"모든 주민을 위하여 자유를 공포하라" 사실, 모든 주민 보다는 모든 민족에게 자유를 공포하라는 것입니다. 자유입니다. 자유로 번역되고 있는 '떼로르'는 그 어원이 '넘쳐흐르다' 또는 ' 빛을 발하다 '란 뜻의 '따라르'로서 '자유로운 흐름'이란 뜻을 가진 단어입니다. 따라서 본문의 원어의 의미를 살려서 말하면 '너희들은 그 땅에 거하는 모든 자를 위해 그 땅에 자유로운 흐름을 크게 외치라'가 되는 것입니다. 여기서 ' 자유로운 흐름' 이라는 것은 경체적인 아픔으로 속박 당하는 자들에게 자유를 주는 것입니다. 아주 실제적인 자유입니다. 부채로 인해 노예가 되었던 사람들, 팔렸던 사람들이 다시 자기 자리로 돌아가는 것입니다. 그러니 이러한 제도를 가진 자들도 함부로 하지 못하는 것입니다. 왜냐하면 영원한 노예가 없기 때문에 신분이 언제 뒤바뀔지 모릅니다. 그러니까 상호간에 주인과 노예라고 하더라도 최소한의 인권을 지켜 주는 것입니다. 희년이 되면 그도 자유인이 될 수 있으니까 말이지요. 그렇기 때문에 사람을 무시하거나 멸시하지 못하는 것입니다. 그러므로 희년의 자유를 선포하는 것은 그 자체로 이미 어떤 힘을 가지는 것입니다.

제 자리를 떠난 사람, 집을 떠난 사람 땅 팔아서 돌아갈 땅도 없는 사람들 토지를 잃고 헤매는 사람들, 이 모든 사람들이 다 제자리를 찾아 돌아가라는 것입니다. 부자도 가난한자도 권력자도 약자도 그 본래의 땅으로 돌아가라는 것입니다. 성경은 그 본래의 땅을 '기업'이라고 말하고 있습니다. 그러니 요벨의 나팔소리는 귀환의 소리요, 회복의 소리요, 해방의 소리인 것입니다. 희년에는 자유의 선포가 있습니다. 인류의 가장 소중한 가치는 자유입니다. 그것은 관념적으로 자유로워진다고 해서 다 자유를 누리는 것은 아닙니다. 참된 자유는 자유인이 되어서 누려야할 새로운 삶의 방식을 찾아야하는 것입니다. 노예에게 자유를 준다고 해서 자유를 누릴 수 있는 것이 아닙니다. 노예는 자유인이 되더라도 노예적인 근성과 습관이 매여 있으면 그들은 여전히 노예가 될 수밖에 없습니다. 출애굽 한 이스라엘 백성에게 자유인의 삶의 원리가 무엇인지, 즉 하나님의 백성의 삶의 원리 10가지를 허락하셨습니다. 그것이 하나님의 백성의 삶의 내용이었습니다. 바로 십계명이 그것입니다. 오늘 우리도 희년을 통해 얻은 영적, 육적 자유를 온전히 누릴 수 있는 것은 오직 우리에게 삶의 원리를 주시는 하나님의 말씀이고 복음인 것을 기억해야 합니다.

-담대하게 진리를 선포한 대통령

1837년 링컨은 '노예제도 폐지론자 규탄안'이 통과된 것을 보면서 자신의 한계를 느꼈지만 소신을 굽히지는 않았습니다. 링컨이 국회 상원의원 선거에 공화당 후보로 선출되었을 때, 그는 노예제도 반대 입장을 분명히 밝혔습니다. 그러나 상대 후보인 민주당의 스티븐 A. 더글러스는 백인 노예 옹호론자들의 시선을 의식해서 노예제도에 대한 논쟁을 교묘히 피하며 '다만 국민들이 원하는 대로 하겠다'는 애매한 입장을 취했습니다. 링컨은 그의 주장이 옳았음에도 불구하고 결국 낙선했습니다. 이기적인 욕구를 채우기 위해 노예제도를 옹호하는 대다수의 백인들이 더글러스를 밀어 주었기 때문이었습니다. 그러나 1860년, 더글러스 의원과 다시 겨루어 대통령에 당선된 링컨은 노예 해방을 위해 하나님 앞에 엎드려 기도하고 또 기도하면서 하나님의 선하신 도움과 지혜를 구했습니다. 그리고 착실한 준비 끝에 1863년 1월 1일 마침내 노예 해방령을 선포하게 되었습니다.

"하나님께서는 백인에게 자유를 주신 것처럼 흑인에게도 자유를 주셨습니다. 이날 즉시, 그리고 이후로 모든 노예들에게 영원히 자유를 선포합니다."

기쁨을 감추지 못한 흑인들 중 한 사람이 링컨 앞에 무릎을 꿇더니 그의 발에 입을 맞추었습니다. "대통령 각하, 당신은 우리 모든 노예들의 구세주이십니다." 링컨은 그를 일으켜 세우며 말했다. "사람에게 무릎을 꿇는 일은 옳지 않습니다. 하나님께만 무릎을 꿇고 하나님께만 영광을 돌리세요. 여러분에게 자유를 주신 분은 하나님이십니다!" /「백악관을 기도실로 만든 대통령 링컨」전광

* 토지의 회복은 삶의 회복입니다.

토지를 영구히 팔지 말 것은 토지는 다 내 것임이니라 너희는 거류민이요 동거하는 자로서 나와 함께 있느니라. 너희 기업의 온 땅에서 그 토지 무르기를 허락할지니 만일 네 형제가 가난하여 그의 기업 중에서 얼마를 팔았으면 그에게 가까운 기업 무를 자가 와서 그의 형제가 판 것을 무를 것이요 만일 그것을 무를 사람이 없고 자기가 부유하게 되어 무를 힘이 있으면 그 판 해를 계수하여 그 남은 값을 산 자에게 주고 자기의 소유지로 돌릴 것이니라. 그러나 자기가 무를 힘이 없으면 그 판 것이 희년에 이르기까지 산 자의 손에 있다가 희년에 이르러 돌아올지니 그것이 곧 그의 기업으로 돌아갈 것이니라. / 구약성서 개역개정 레위기 25장 23-28절

희년은 토지소유를 원상태로 회복하는 것입니다. 이스라엘 백성들은 아브라함과 이삭과 야곱에게 가나안 땅을 약속해 주셨습니다. 그래서 야곱이 아버지와 형 에서의 미움을 피해서 외삼촌이 사는 밧단 아람으로 갈 때에 벧엘에서 하룻밤을 자다가 사닥다리 꿈을 꾸었습니다. 그 꿈에서 깨고 나서 뭐라고 말합니까? 창세기 28장 16-17절에 **"야곱이 잠이 깨어 가로되 여호와께서 과연 여기 계시거늘 내가 알지도 못하였도다. 이에 두려워하여 가로되 두렵도다. 이곳이여 다른 것이 아니라 이는 하나님의 전이요 이는 하늘의 문이로다 하고"** 그러니 이스라엘 백성들은 가나안 땅을 하나님이 임재하신 곳,

하나님의 전, 하늘의 문이라고 생각한 것입니다. "하나님의 임재요 하나님의 전이요 하늘의 문이로다."하는 것은 그 땅 안에 있어야 하나님을 체험하고 천국에 들어갈 수 있다고 믿었던 이스라엘 백성들의 믿음을 나타내고 있는 것입니다. 그들은 그 땅을 떠나게 되면 천국에 갈 수 없다고 믿었던 것입니다. 그러니 그 땅을 얼마나 귀중하게 생각하겠습니까? 그래서 지금도 아랍 사람들과 이스라엘 사람들 사이에 그 땅을 사이에 둔 투쟁이 계속되고 있는 것입니다.

그런데 이스라엘 백성들은 애굽에서 430년 노예생활 할 때에 가나안 땅에 살지 못했습니다. 모세의 인도로 나와서 40년 동안 광야를 방황하다가 여호수아의 인도로 가나안 땅으로 들어갔습니다. 가나안 땅에 들어가서 열두지파가 그 땅을 제비뽑기로 배분했습니다. 각 지파가 그 땅을 배분 받게 되었는데 그 땅을 가리켜서 '기업'이라고 합니다. 이렇게 기업으로 받은 땅은 그 소유주가 하나님입니다. 23절입니다. **"토지를 영영히 팔지 말 것은 토지는 다 내 것임이라 너희는 나그네요 우거하는 자로서 나와 함께 있느니라."** 토지를 배분받았어도 주인은 하나님이십니다. 이스라엘 백성들은 그 토지를 관리하는 사람이요 나그네로 우거하는 자에 불과한 것이었습니다. 그렇기 때문에 토지를 배분받은 사람이 살다가 가난해서 죽게 되었다고 하면 팔수는 있었지만 영영히 팔 수 없습니다. 영영히 팔지 못한다는 것은 팔기는 팔되 영구히 팔지 못한다는 것입니다. 팔았던 토지는 나중에 돈을 벌어서 살 수 있습니다. 또 친척 중에 돈이 많은 사람이 있으면 잃어버린 땅을 돈을 주고 무를 수가 있는 것입니다. 이것을 가리켜서 '토지 무르기'라고 말합니다. 24절에 "너희 기업의 온 땅에서 그 토지 무르기를 허락할지니" 이것이 토지 무르기, 땅 무르기입니다. 누가 하나님께 기업으로 받은 땅을 가난해서 팔았을 때 그 사람의 동족이나 친척이 돈을 주면서 그 땅을 다시 찾고자 할 때에는 물러 주어야 하는 것입니다. 그런데 토지 무를만한 돈도 없고 부자친척도 없으면 50년을 기다려야 하는 것입니다. 50년째가 되면 토지를 구입한 사람은 무조건 원래 주인에게 돌려주어야 하는 것입니다. 그러니 가난해서 토지를 판 사람도 희년만 기다리지 않겠습니까? 희년이 오면 다시 받아서 처음부터 다시 출발할 수 있기 때문입니다. 재출발의 기회를 주는 것이 희년입니다. / 기독교 멀티미디어 자료중

  예수원의 대천덕 신부님이 늘 말씀하셨습니다. '토지가 있어야 자유가 있다' 그리고 이 토지는 하나님의 것이라고 천명했습니다. 앞에서 지속적으로 언급하고 있지만 땅의 회복은 사람의 자유, 인권, 생명의 회복입니다. 땅이 있으면 가족 공동체가 회복 됩니다. 땅은 모든 생존권의 기초이기 때문입니다. 땅이 없다면 그 위에 살아가는 사람은 노예이거나 종속된 삶 속에서 항상 불안하고 고통스런 삶을 살 수밖에 없는 것입니다. 토지는 하나님의 것이라고 하나님께서 말씀하신 이유가 이 땅의 모든 사람들은 토지를 통해 살기 때문에 그것이 사람의 소유가 될 때 사람들은 그것을 관리할 만한 지혜가

없기 때문입니다. 그러므로 토지의 공공재와 공유제가 모든 사람들에게 일리 있는 것은 바로 이 때문입니다. 희년은 땅과 사람과 모든 창조 세계의 회복입니다.

- 우리에겐 얼마만큼의 땅이 필요한가?/ 톨스토이 동화

추장은 말했습니다. "1,000루블(한화 18,000원정도)을 내시면 그 사람이 하루 종일 걸은 만큼의 땅을 드리는 거죠". 바흠은 놀랐습니다. "정말 하루 종일 걸으면 그 면적이 내 땅이라고요?"추장은 웃으며 말했습니다. "네, 그게 모두 당신 것이 됩니다. 다만 한 가지 조건이 있습니다. 만약 하루 안에 출발점까지 돌아오지 못하면 그건 무효가 됩니다."

바흠은 깃털 이불을 덮고 누웠으나 통 잠을 이룰 수가 없었습니다. 줄곧 땅만 생각하고 있었습니다. 어떻게 해서든지 땅을 크게 차지할 궁리를 하고 있었습니다. "하루 종일 걷는 것이 50베르스타(53km)라고 하면 면적이 어느 정도나 될까? 그중 나쁜 곳은 팔든가 빌려주면 된다. 그리고 난 좋은 곳에 정착하면 된다. 쟁기를 끌 암소 두 필에, 머슴을 두 사람 고용하여 50데샤티나(330만평) 정도만 경작하고 나머지 땅에서는 목축을 하기로 하자." 바흠은 이런 생각을 하면서 뜬눈으로 밤을 지새웠습니다. '일 분도 허비해서는 안 되지. 조금이라도 시원할 동안에 걷는 것이 좋을 거야.'

하늘 끝에서 해가 얼굴을 내밀기가 무섭게 바흠은 괭이를 어깨에 메고 초원을 향해 걷기 시작했습니다. 걷기 시작하니 걸음이 절로 빨라졌습니다. 그러나 더위는 점점 심해지고 졸음이 쏟아졌습니다. 그래도 그는 꾹 참고 걸으며 한 시간의 인내가 일생의 덕이 되는 거라고 생각했습니다. 그는 한 번 구부러지고도 상당히 멀리 걸었습니다. 그래서 다시 왼쪽으로 구부러지려는데 가까이에 촉촉한 분지가 있었습니다. '저걸 그대로 버리기엔 아까운데 저기 땅도 차지해야지.'

바흠은 언덕 쪽을 향해 걸었으나 차차 괴로워지기 시작했습니다. 몸은 땀투성이에 구두를 벗은 발은 찢기고 베여 상처투성이가 되어 제대로 걸을 수가 없었습니다. 쉬고 싶었지만 해가 지기 전에 도착할 수 없을 것 같았습니다. 해는 사정없이 넘어갔습니다. '아아, 실패한 게 아닌지 모르겠어. 너무 욕심을 낸 게 아닐까? 만약 늦으면 어떡한담.'

그러나 추장이 말했습니다. "허어, 장하구려! 땅을 완전히 잡으셨소!" 바흠의 머슴이 달려가서 그를 부축해 일으키려고 했으나 그의 입에서 피가 쏟아져 나왔습니다. 그렇게 쓰러져 죽고 말았던 것입니다. 하인은 괭이를 집어 들고 바흠의 무덤으로 머리에서 발끝까지의 치수대로 정확하게 3아르신(2m 정도)을 팠다. 그것이 그가 차지할 수 있었던 땅의 전부였습니다.

우리에게 얼마의 재물이 필요한가를 알려주는 글입니다. 우리가 그렇게도 열심히 내 것으로 만들려고 뛰어가지만 해는 저만치서 아래로 빠져듭니다. 우리가 진정으로 차지할 수 있는 땅은 한두 평 정도의 적은 땅인 줄을 미처 모르고 있습니다.

* 집의 회복, 가족 공동체의 회복 그리고 사회가 건강해 지는 길

성벽 있는 성 내의 가옥을 팔았으면 판 지 만 일 년 안에는 무를 수 있나니 곧 그 기한 안에 무르려니와 일 년 안에 무르지 못하면 그 성 안의 가옥은 산 자의 소유로 확정되어 대대로 영구히 그에게 속하고 희년에라도 돌려보내지 아니할 것이니라. 그러나 성벽이 둘리지 아니한 촌락의 가옥은 나라의 전토와 같이 물러 주기도 할 것이요 희년에 돌려보내기도 할 것이니라 / 구약성서 개역개정 레위기 25장 29-31절

어떤 사람이 집을 짓고 살다가 가난해서 집을 팔았다고 한다면 집을 산 사람은 희년이 되면 그 집을 원래 주인에게 돌려주라는 것입니다. 단 한 가지 예외가 있다면 성벽을 둘러서 성 안에 있는 집은 일 년 안에 무를 수 있고 일 년이 지나면 산 사람에게 영구히 돌아가게 됩니다. 그 예외를 제외하고는 토지도 주택도 희년이 되면 원래 주인에게 돌려주어야 하는 것입니다. 그러니 이런 제도를 실시하는 사회에는 복지가 있고 가난한 사람도 재출발할 수 있는 기회가 있는 것입니다.

결국, 집이란 가족 공동체의 공유공간입니다. 그러한 집을 다시 찾을 수 있다는 것은 가족 공동체가 함께 살 수 있는 공간이 있다는 것을 말하고 있습니다. 그것을 통해서 가족의 회복은 안정적인 삶을 유지할 수 있는 최소의 조건이 갖추어 진 것이고 그것을 통하여 삶은 회복되며 살아가야 하는 이유들과 그 근거들이 사회를 건강하게 하는 것입니다. 오늘날 가장 큰 문제는 가정 공동체가 무너지는 것입니다. 그것은 사회의 근본 틀이 깨지는 것이고 사회 전체의 문제를 야기하는 것입니다.

미국에서 한 때 베스트셀러였던 '메가트렌즈(Megatrends)'라는 책을 보면 미래는 정보의 시대로써 사회가 급격히 변화해 나갈 때에 세 가지 상처가 생긴다고 했습니다. 첫째, 전통적인 가치관이 무너져서 과거에 우리가 가졌던 도덕과 윤리의 표준이 제대로 적용될 수 없다는 것입니다. 도덕적인 가치관의 상실을 가리키는 말입니다. 둘째, 가정과 교회가 기관화되어 전통적인 가정의 참 의미를 상실하고 만다는 것. 셋째, 합법적인 지도자들의 권위가 상실된다는 것입니다. 이 중에서 가장 큰 위기 는 "가정의 상실"입니다.

- 시험지에 쓰인 글 / 제인 린드스톰

회색 스웨터가 토미의 텅 빈 책상 위에 무기력하게 걸려 있었습니다. 방금 다른 학생들과 함께 교실을 나간 의기소침한 한 소년을 상징하는 물건이었습니다. 초등학교 3학년 교실, 이제 조금 있으면 최근에 별거를 시작한 토미의 부모가 와서 교사인 나와 면담을 하기로 되어 있었고, 갈수록 나빠지는 아이의 학업 성적과 파괴적인 행동에 대해 상의하기 위해서였습니다. 하지만 토미의 어머니와 아버지는 내가 상대방 모두를 호출한 것을 모르고 있었습니다. 외아들인 토미는 늘 행복하고 협조적이며 뛰어난 학생이었습니다. 그런데 최근에 와서 급격히 학업 성적이 떨어진 것을 분명히 부모의 별거와 이혼 소송에 따른 절망감 때문이었습니다. 이것을 어떻게 토미의 어머니와 아버지에게 납득시킬 수 있을 것인가? 이것이 고민이었습니다.

이윽고 토미의 어머니가 들어왔고, 그녀는 내가 토미의 책상 옆에 마련해 놓은 의자에 앉았습니다. 잠시 후 토미의 아버지도 도착했습니다. 어쨌든 출발은 좋았습니다. 최소한 그들은 내 면담 요청에 반응을 보일 만큼은 자식에게 관심이 있었습니다. 두 사람은 서로를 보고 놀라더니, 금방 짜증 섞인 표정이 얼굴 위로 지나갔습니다. 그들은 나란히 앉아서도 명백히 서로를 무시하는 태도를 취했습니다. 나는 토미의 행동과 학교 수업에 대해 자세히 설명하기 시작했습니다. 그러면서 나는 그들의 별거가 자신의 아들에게 어떤 결과를 낳고 있는가를 깨닫게 해 줄 적당한 말이 떠오르기를 마음속으로 기도했습니다. 하지만 아무리 해도 좋은 단어들은 생각나지 않았습니다. 그때 문득 토미의 지저분한 시험 답안지를 보여 주면 어떨까 하는 생각이 들었습니다. 나는 토미의 책상 안에서 구겨진 영어 시험지를 한 장 꺼냈습니다. 시험지는 눈물로 얼룩져 있었습니다. 그리고 시험지 앞뒤로 빼곡히 토미의 글

씨가 적혀 있었습니다. 문제에 대한 답이 아니라 똑같은 문장을 끝없이 반복해서 휘갈겨 쓴 것이었습니다.

나는 아무 말 없이 그 시험지를 펴서 토미의 어머니에게 건넸습니다. 그녀는 한참 동안 그것을 들여다보더니 아무 말 없이 남편에게 주었습니다. 남편은 기분 나쁘다는 듯이 얼굴을 찡그렸습니다. 그러나 이내 그의 얼굴이 펴졌습니다. 그는 거의 영원이라고 느껴질 만큼 오랫동안 그 휘갈겨 쓴 말들을 들여다보고만 있었습니다.

마침내 토미의 아버지는 시험지를 조심스럽게 접더니 그것을 자신의 호주머니에 넣었습니다. 그리고 아내의 손을 잡았습니다. 그녀는 흐르는 눈물을 닦으며 그에게 미소를 지어 보였습니다. 나도 눈물이 글썽거렸지만 나는 그것을 들키지 않으려고 애를 썼습니다. 토미의 아버지는 아내가 코트를 입는 걸 도와주고는 둘이서 함께 교실을 나갔습니다. 하나님께서 그 가정이 다시 합쳐질 수 있도록 적당한 방법을 나한테 가르쳐 주신 것이라고 나는 믿었습니다. 하나님은 나를 그 노란색 영어 시험지로 인도하셨습니다. 그 시험지에는 어린 소년의 괴로운 마음에서 토로된 고뇌에 찬 문장이 다시 끝없이 반복되어 적혀 있었습니다. 그 문장은 이런 것이었습니다.

"엄마, 아빠… 사랑해요. 엄마, 아빠… 사랑해요."

* 노예해방은 인류의 존엄성 해방

너와 함께 있는 네 형제가 가난하게 되어 네게 몸이 팔리거든 너는 그를 종으로 부리지 말고 품꾼이나 동거인과 같이 함께 있게 하여 희년까지 너를 섬기게 하라 / 구약성서 개역개정 레위기 25장 39-40절

경제적인 빈곤과 고통은 경제적인 문제로만 끝나는 것이 아닙니다. 그것은 제 2,3의 고통과 아픔을 수반하게 되는 것입니다. 하나님께서는 매우 세밀한 분으로 우리의 삶의 모든 처지를 잘 알고 계시는 분입니다. 그래서 우리에게 경제적인 아픔에서 온전하게 회복할 수 있는 것은 서로가 인격적인 관계여야 한다는 것입니다. 앞서서 언급했지만 이러한 희년 사상은 가난으로 인해서 몸이 팔리고, 종의 신분으로 있지만 그의 인권이나 자존심을 무너뜨려서는 안 될 것을 천명하고 계십니다. 그러한 인격적인 관계는 훗날 서로의 상황을 인정하고 이해하는 관계가 될 것입니다. 물질적인 아픔이 삶 전체를 어렵게 하는 것이 아니라, 그것을 통해서 다시 회복하는 선하고 아름다운 공동체로 세워 가시길 원하시는 분이 하나님이십니다.

이스라엘 공동체는 모두가 애굽에서 '종'이었습니다. 그러나 그들이 다시 가나안 땅에서 땅을 소유하고 가진 것이 있다고 해서 애굽 사람들을 흉내 내서는 안 될 것을 말씀하고 계십니다. 그것은 종 되었던 곳, 애굽 땅을 기

억하며 지금 어떻게 살아야할지를 알려 주시는 것입니다. 우리는 하나님을 사랑한다고 하면서 우리의 공동체인 이웃을 사랑하지 않은 것은 하나님을 사랑한다고 하는 그 고백이 거짓이 되는 것입니다. 사람은 자신의 어려운 처지에서도 인권과 존엄성이 있습니다. 그때 그 존엄성만 지켜진다면 언제든지 회복할 수 있습니다. 그러므로 우리는 경제적인 빈곤으로 아파하는 형제들에게 소유한 자의 교만과 오만으로 베푸는 것이 아니라, 빈곤한 사람의 입장에서 생각하고 베풀어야 하는 것입니다. 그것을 희년 공동체에서 하나님께서 말씀해 주고 계십니다. 이것을 명심해야합니다. 또한 희년이 되면 그들은 동등한 신분을 회복하게 됩니다. 그 때에 과거의 종 되었을 때를 반드시 기억할 것입니다. 그렇기에 우리는 우리의 삶에서 조금 안다고, 가졌다고, 소위 '갑'의 위치에 있다고 오만이나 만용을 부려서는 안 될 것입니다. 종 되신 주님을 다시 한 번 기억해야 할 것입니다.

- **종이 된 주인**

무디 성경학교 교장인 조셉 스토웰 박사는 사무실이 행정관 9층에 있기 때문에 얼마간의 시간을 엘리베이터에서 보냈습니다. 어느 날 스토웰이 엘리베이터를 탔을 때 150cm 정도의 키로 짐작되는 여자 관리인이 엘리베이터 문을 청소하고 있었습니다. 그녀는 문 위쪽까지 닦으려고 했으나 손이 닿지 않는 부분이 있어 애를 먹고 있었습니다. 스토웰은 이렇게 생각했습니다.

"안타깝게도 같이 탄 사람이 없군.

누군가 같이 탔다면 도울 수 있을 텐데. 교장 체면에 엘리베이터 문을 청소할 수야 없지." 그러나 스토웰은 곧 생각을 고쳐먹게 되었습니다. 최근 그리스도의 겸손하신 지상 사역을 묵상하며 감명을 받았기 때문입니다. 그는 관리인에게 그녀의 손이 미치지 않는 곳을 닦아 줄 테니 걸레와 스프레이 병을 달라고 했습니다. 그가 높은 곳을 닦기 시작하는데, 엘리베이터가 멈추고 문이 열리면서 몇몇 학생들과 직원들이 탔습니다. 스토웰은 문 닦는 일을 계속했습니다. 몇 주 후에 스토웰은 엘리베이터 문 닦는 일이 어떻게 되고 있는지 관리인에게 물었습니다. 그녀가 즐거운 표정으로 말했습니다.

"너무 좋아요. 이제 많은 분들이 저를 도와주세요."

예수님은 전달하시기 어려워 반복적으로 가르치시며 친히 모범을 보이셔야 했던 교훈들이 있었습니다. 겸손한 봉사에 관한 교훈이 바로 그런 부류입니다.

손짓만 하시면 천군 천사들의 섬김을 받으실 수 있는 영광의 주님이 제자들의 흙 묻은 발을 씻겨 주셨습니다. 창조주이자 우주의 주인께서 자청하여 사람의 종이 되셨던 것입니다. /「예수 닮기」레슬리 플린

* 희년의 사회적 의미

희년은 땅과 집과 몸의 회복을 통해 가족 공동체의 회복으로 발전할 수 있습니다. 예수원의 대천덕 신부님(1918-2002년)의 말씀처럼 '토지가 없으면 자유도 없다'는 것을 증명합니다. 즉 자유만 허락하고 땅을 허락하지 않는다면, 다시 노예로 전락할 수밖에 없는 것입니다. 그들이 거해야하고 살아내야할 땅이 없다는 것은 다시 땅이 있는 사람들에게 종속될 수밖에 없음을 보여주는 것입니다. 그것은 자유를 상실하는 것입니다. 온전한 자유를 위해서는 땅의 회복, 즉 토지 소유권을 회복 시켜 줘야하는 것입니다. 그러므로 사람을 해방하는 것과 땅을 되찾게 하는 것은 동시에 일어나야하는 것입니다. 이 둘에 똑같은 율법이 적용되어야하고, 곧, 희년에 이 일이 이루어짐을 통해 두 가지 내용이 자유롭게 되어야하는 것입니다.

온전한 희년이 되지 않으면 토지의 개인 소유의 왜곡된 사회 공동체는 아픔과 고통을 당하기 마련입니다. 그러한 의미에서 토지를 개인이 소유하는 것은 사람을 개인이 소유하는 것이 되는 것입니다. 즉 토지 사유제는 곧 노예 사유제가 되는 것입니다. 그러므로 토지와 자유는 둘 다 각 가족 공동체의 진정한 회복을 위해, 그리고 한 국가의 온전한 복지를 위해 없어서는 안되는 것입니다.

희년의 온전한 시행은 여러 가지 회복을 나타나게 합니다. 첫째, 가정공동체가 회복이 되며, 둘째 땅의 기운, 즉 지력(地力)이 회복됩니다. 또한 이러한 배경에서 하나님을 믿는 믿음의 회복이 일어나게 됩니다. 그리고 마지막으로 빈곤의 대물림을 방지하는 사회적 제도를 통한 복지 사회가 안전하게 실현되는 것입니다. 현재 수많은 나라들이 지향하는 이상적인 사회상을 이미 성경은 율법과 제도를 통해 완벽하게 준비하고 있었던 것입니다.

* 구약에 나타난 몇 가지 희년제도의 시행 사례 / 고엘 제도

만일 네 형제가 가난하여 그의 기업 중에서 얼마를 팔았으면 그에게 가까운 기업 무를 자가 와서 그의 형제가 판 것을 무를 것이요 / 구약성서 개역개정 레위기 25:25

구약에 나타난 희년 제도의 첫 사례는 바로 '고엘 제도'입니다. 친족의 토지 무르기라는 것인데 가난 때문에 희년까지 한시적으로 토지사용권을 팔 수밖에 없었던 가난한 사람을 위해 그 가까운 친족이 대신 값을 치르고 그 가난한 사람의 토지사용권을 되찾아 주는 것입니다.

- 이스라엘의 재벌 개혁

혁신적이고 실효적 재벌개혁을 위한 시사점을 주고 있는 이스라엘의 경

167

제에 대한 남다른 리더십은 정치와 경제가 불의한 관계가 아니라 선함을 통해 의미 있는 일들을 행하고 있는 것입니다.

이스라엘의 경우 한국과 마찬가지로 국민경제에서 소수 재벌이 차지하는 경제력이 지나치게 높은 것으로 비난을 받아왔습니다. 이에 따라 최근 이스라엘에서는 재벌 개혁을 위한 혁신적인 조치들을 도입하였으며 실천에 옮기고 있는 중입니다. 재벌개혁이 대통령 선거에서 큰 아젠 다로 자리매김한 우리나라 입장에서도 이를 참고할 필요가 있습니다. 이스라엘의 여러 개혁 방안 몇 가지 특징을 꼽는다면 다음과 같이 정리할 수 있습니다.

1. 특수 관계 인간의 거래(내지는 일감몰아주기)를 차단하거나 줄이려고 하는 강한 의지가 보입니다. 이를 위해 소액주주들에게 대폭적인 권한을 부여하는 개혁적인 법 개정이 이루어졌으며 이를 통해 지배주주의 전횡을 차단할 수 있는 제도적 장치를 마련하였습니다.

2. 필요에 따라 정부가 적극적으로 개입함으로써 재벌들의 전횡을 막을 수 있는 통로를 열어 두있습니다.

3. 회사 및 증권관련 사건만을 전담하는 특별법원을 설치했습니다. 증권 및 회사법 관련 사건은 전문성을 요하는 분야임에도 불구하고 이를 일반 법원에서 다루게 한다는 것은 기업의 환경변화에 적극적으로 대처할 수 없는

문제를 발생시킵니다.

4. 계속적인재벌 개혁을 추진하기 위해 시장집중위원회 (Market Concentration Committee)를 설치하였습니다. / 경제개혁연구소 이지수 연구원

아직은 이스라엘의 재벌을 개혁하기 위한 여러 조치들이 완전한 성공을 거두었다고 평가하기에는 이른 감이 있기는 합니다. 그렇다 하더라도 우리나라의 경우 이스라엘의 사례를 살펴봄으로써 여러 가지 시사점을 찾을 수 있는 것은 분한 것은 사실입니다. 참골 이스라엘은 재벌 개혁을 국회에서 만장일치 통과하여 소수의 중소기업이 강한 나라로 육성하고 있는 중입니다.

* 구약에 나타난 몇 가지 희년제도의 시행 사례 -

성경적 경제관의 첫 순교자 나봇

이세벨에게 통보하기를 나봇이 돌에 맞아 죽었나이다 하니 이세벨이 나봇이 돌에 맞아 죽었다 함을 듣고 이세벨이 아합에게 이르되 일어나 그 이스르엘 사람 나봇이 돈으로 바꾸어 주기를 싫어하던 나봇의 포도원을 차지하소서 나봇이 살아 있지 아니하고 죽었나이다 아합은 나봇이 죽었다 함을 듣고 곧 일어나 이스르엘 사람 나봇의 포도원을 차지하러 그리로 내려갔더라 / 구약성서 열왕기상 21장 14-16절

열왕기상 21장의 나봇의 포도원 사건 또한 이스라엘의 희년 제도 시행의 한 사례라고 볼 수 있습니다. 앞서서 언급하였기에 구체적으로 다루지는 않습니다만, 이것을 통해 하나님의 토지법의 사수와 토지 매매 금지에 대한 목숨을 건 나봇의 율법 준수에 대한 집념이 서려 있는 내용입니다. 결국 바알적 토지관을 가진 아합과 이세벨에 의해 토지 강탈과 죽임을 당하게 되는 것입니다. 어떻게 보면 성경적 경제관을 사수하려도 순교 당한 최초의 사람이 나봇이 아닌가 생각하게 됩니다. 나봇의 사건에 대해 좀 더 알아봄을 통해 우리가 이 땅에 아합과 이세벨과 같은 사람들에 대해 어떻게 대처해야하는지, 또는 아합과 이세벨과 같은 사람이 되지 않는 경계를 해야 할 것입니다.

나봇이란 이름의 뜻은 '뛰어난 사람' '싹트다'라는 의미입니다. 이스라엘 사람으로 성읍의 지도자 중 한 사람이며 아합 왕의 별궁에 인접한 이스르엘 부근에 좋은 포도원을 가진 포도원 주인입니다.

'그 후에 이 일이 있으니라 이스르엘 사람 나봇이 이스르엘에 있어 사마리아 왕 아합의 궁에서 가깝더니 아합이 나봇에게 일러 가로되 네 포도원이 내 궁 곁에 가까이 있으니 내게 주어 나물 밭을 삼게 하라 내가 그 대신에 그보다 더 아름다운 포도원을 네게 줄것이요 만일 합의하면 그 값을 돈으로 네게 주리라 / 구약성서 개역개정 열왕기상 21장 1-2절

이러한 아합의 제안에 대하여 나봇은 열조의 유업을 왕에게 양도하는 것은 하나님의 뜻에 합당치 않다면서 깨끗이 거절해 버렸습니다. 그 이유는 조상에게서 물려받은 토지유업을 남에게 파는 것은 하나님께서 금하신 일로 되어 있기 때문입니다. / 구약성서 개역개정 열왕기상21장 1-7절

"토지를 영영히 팔지 말 것은 토지는 다 내 것임이라 너희는 나그네요 우거하는 자로서 나와 함께 있느니라······.만일 너희 형제가 가난하여 그 기업 얼마를 팔았으면 그 근족이 와서 동족의 판 것을 무를 것이요" / 구약성서 개역개정 레위기 25장 23-25절

이러한 나봇의 전통적 가보와 유업을 수호하기 위한 신앙적 답변에 아합은 해결점을 찾지 못하고 궁으로 돌아와서 식음을 전폐하게 되었습니다. 이 사연을 알고 난 이세벨은 왕에게 다음과 같이 제안했습니다.

"일어나 식사를 하시고 마음을 즐겁게 하소서 내가 이스르엘사람 나봇의 포도원을 왕께 드리리이다 하고" / 구약성서 열왕기상 21장 7절

나봇과 함께 사는 이스르엘 장로들과 귀인들에게 편지쓰기를 나봇를 백성 가운데 높이 앉히고 비류 두 사람으로 하여금 그가 하나님과 왕을 저주하였다는 위증을 하게 한 다음 그와 그의 아들들을 돌로 쳐 죽이라고 명했습니다.

편지를 받은 이스르엘 방백과 귀족들은 즉시 실천에 옮겼으며 나봇과 그의 아들들은 성문 밖으로 끌려가서 돌에 맞아 죽고 말았습니다. 그리한 후 아합 왕은 나봇의 포도원을 빼앗았습니다.

하나님께서는 엘리야를 통하여 **"개들이 나봇의 피를 핥은 곳에서 네 피도 핥느니라"**고 예언하심으로 나봇의 피는 순교의 피였음을 말씀하셨습니다. / 한태완 목사 설교 편집

나봇의 포도원 사건은 인류의 역사에서 매우 중요한 사건중의 하나입니다. 인간이 하나님 앞에서 저지른 죄악 중 아담의 타락과 가인의 범죄이후 가장

중요한 범죄중 하나가 아합 왕과 이세벨이 저지른 나봇의 포도원 강탈사건이며 이것이 역사상 중요한 결과를 초래했습니다. 왜냐하면 이 사건을 통해서 바알의 토지법이 역사의 전면에 등장했고, 그로인해 타락된 토지제도가 오늘날 우리에게 직면한 빈곤의 가장 큰 원인을 제공하고 있습니다.

구약의 희년제도는 아합 왕 선대까지 시행된 것으로 보입니다. 이후에는 바알의 토지법의 지배로 고통과 아픔의 삶의 연속으로 이어지게 된 비극이 계속되었던 것입니다.

* 구약에 나타난 몇 가지 희년제도의 시행 사례-
시형제 결혼-근족 내의 결혼 그리고 부활

요셉 자손의 종족 중 므낫세의 손자 마길의 아들 길르앗 자손 종족들의 수령들이 나아와 모세와 이스라엘 자손의 수령 된 지휘관들 앞에 말하여 이르되 여호와께서 우리 주에게 명령하사 이스라엘 자손에게 제비 뽑아 그 기업의 땅을 주게 하셨고 여호와께서 또 우리 주에게 명령하사 우리 형제 슬로브핫의 기업을 그의 딸들에게 주게 하셨은즉 그들이 만일 이스라엘 자손의 다른 지파들의 남자들의 아내가 되면 그들의 기업은 우리 조상의 기업에서 떨어져 나가고 그들이 속할 그 지파의 기업에 첨가되리니 그러면 우리가 제비 뽑은 기업에서 떨어져 나갈 것이요 이

173

스라엘 자손의 희년을 당하여 그 기업이 그가 속한 지파에 첨가될 것이라 그런즉 그들의 기업은 우리 조상 지파의 기업에서 아주 삭감되리이다 모세가 여호와의 말씀으로 이스라엘 자손에게 명령하여 이르되 요셉 자손 지파의 말이 옳도다 슬로브핫의 딸들에게 대한 여호와의 명령이 이러하니라 이르시되 슬로브핫의 딸들은 마음대로 시집가려니와 오직 그 조상 지파의 종족에게로만 시집갈지니 그리하면 이스라엘 자손의 기업이 이 지파에서 저 지파로 옮기지 않고 이스라엘 자손이 다 각기 조상 지파의 기업을 지킬 것이니라 하셨나니 이스라엘 자손의 지파 중 그 기업을 이은 딸들은 모두 자기 조상 지파의 종족되는 사람의 아내가 될 것이라 그리하면 이스라엘 자손이 각기 조상의 기업을 보전하게 되어 그 기업이 이 지파에서 저 지파로 옮기게 하지 아니하고 이스라엘 자손 지파가 각각 자기 기업을 지키리라 슬로브핫의 딸들이 여호와께서 모세에게 명령하신 대로 행하니라 슬로브핫의 딸 말라와 디르사와 호글라와 밀가와 노아가 다 그들의 숙부의 아들들의 아내가 되니라 그들이 요셉의 아들 므낫세 자손의 종족 사람의 아내가 되었으므로 그들의 종족 지파에 그들의 기업이 남아 있었더라 / 구약성서 개역개정 민수기 36장 1-12절

시형제 결혼법의 목적은 아버지의 기업을 받을, 다른 말로 아버지의 언약이 흐를 후사를 세우는 것입니다. 그 후사가 온전하게 낳아지는 날이 하나님 언약의 가시적 성취의 날이며 역사의 종결지점입니다. 그리고 이것은 경제적

으로도 토지가 다른 지파로 유입되는 것을 막는 제도적 장치이기도합니다. 그리고 시형제 결혼법의 영적인 의미도 한 번 정리해 볼 필요가 있는 것입니다.

> 부활이 없다 하는 사두개인들이 그 날 예수께 와서 물어 이르되 선생님이여 모세가 일렀으되 사람이 만일 자식이 없이 죽으면 그 동생이 그 아내에게 장가들어 형을 위하여 상속자를 세울지니라. 하였나이다. / 신약성서 개역개정 마태복음 22장 21-22절

그런데 '후사를 세우다'에서 '세우다'라고 번역이 된 '아니스테미'라는 단어는 바로 윗 절의 '부활, 아나스타시스'와 같은 어근을 가진, 같은 뿌리의 단어입니다. 즉 후사를 세우는 일이 부활의 완결을 의미하고 있다는 것입니다. 그렇게 하나님의 언약이 가시적으로 성취가 되는 그 날까지 계속해서 장자들이 처음 장자의 자리로 들어가 그 장자의 삶에 편입이 되어 그 장자처럼 죽게 되는 것입니다. 그들이 완전히 죽는 날 완전한 부활이 일어나는 것입니다. 그러니까 인생들의 자신감이, 야망이, 세상적 소원이, 인생속의 마귀적 성품과 욕구가 점점 죽어 가면 갈수록 우리는 주님 안에서의 부활을 하고 계신 것입니다.

세상은 그런 삶을 가리켜 가치 없고, 바보 같고, 유약하고, 가난한 삶이라고 손가락질을 해 대지만 그게 하나님의 백성들의 부활의 삶인 것을 잊으시

175

면 안 됩니다. 그렇게 우리는 모두 하나님의 장자와 묶여 버립니다. 그 장자의 삶에 연합이 되어 버립니다. 그 장자의 삶이 우리의 삶 속에 열매로 맺힙니다. 그게 요한복음의 포도나무와 가지의 관계입니다. 그러니까 우리의 삶 속에서 나타나는 그 어떤 열매도 다 장자의 것이지 우리의 것이 아닙니다. 우리가 치르는 전쟁도 장자의 전쟁입니다. 우리는 그 뒤에서 그 분의 은혜와 긍휼을 얻어먹으며 한발 한 발 나가는 것입니다. 그렇게 자신을 죽이고 은혜와 긍휼 앞에 납작 엎드려 예수님의 십자가 피의 공로를 의지해야 하는 것이 하나님 나라 백성들의 삶인데, 유대인들은 불의한 선민사상으로 자신들의 구원을 단정해 버렸고, 그런 자격 있는 자신들이 하나님 앞에 업적과 공로로 내어 놓을 수 있는 것이 율법과 제사라고 생각했던 것입니다. 그러나 그것은 상당한 오해입니다. 성도가 하나님 앞에 내어 놓을 수 있는 열매는 자기부인으로 말미암는 옛 사람의 죽음이며, 그로 말미암는 새사람으로의 부활인 것입니다.

  그것은 나귀의 겸손으로 당신의 몸인, 진노의 포도즙 틀을 밟으신 예수 그리스도의 은혜의 십자가만을 붙드는 년목 없음이며, 뻔뻔스러움이기도 한 것입니다. 하나님은 인간의 업적이나 성취나 조건이나 자격, 열심이나 노력 등에 의해 복과 저주를 가르지 않으십니다. 나귀를 타시고 포도주 틀을 밟으시는 예수님의 은혜로만 복과 저주가 갈립니다. / 인터넷 자료 편집

- 시형제 결혼법, 기독교의 한 몸 사상

마태복음 22장에서 예수님이 혼인 잔치 비유를 하시는데 바로 아래에 보면 부활을 믿지 않는 사두개인들이 시형제 결혼법을 예로 들어서 예수님을 시험하는 장면이 나옵니다. 일곱 형제가 있다가 다 죽었어요 근데 맏아들의 처가 둘째, 셋째, 넷째하고 결혼을 한다고 합니다. 그런데 하늘나라에 가서 부활을 하면 도대체 그 여자는 누구 부인입니까?라고 물어보게 됩니다. 원래 사두개인들은 부활을 믿지 않습니다. 이것은 예수님을 시험하려고 물어 본 악한 질문인 것입니다. 그 때에 예수님이 이런 대답을 하십니다.

죽은 자의 부활을 의논할진대 하나님이 너희에게 말씀하신바 나는 아브라함의 하나님이요 이삭의 하나님이요 야곱의 하나님이로라 하나님은 죽은 자의 하나님이 아니요 살아 있는 자의 하나님이시니라 하시니 무리가 듣고 그의 가르치심에 놀라더라 / 신약성서 개역개정 마태복음 22장 31절 - 33절

그들이 일곱 형제가 있는데 한 여자가 일곱 형제랑 다 결혼했다 나중에 부활했을 때 이 여자가 누구 부인이냐 했는데 예수님이 '나는 아브라함과 이삭과 야곱의 하나님 산 자의 하나님이다'라고 대답을 해버렸다 근데 깜짝 놀라게 됩니다. 부활은 우리가 원하는 어떤 몸으로, 우리가 상상하고 있는 추구하고 있는 어떤 몸으로 다시 살아나는 걸 부활이라 하지 않는다는 겁니다. 진짜 부활은 아브라함과 이삭과 야곱, 그들은 이 땅에서 하나님의 장자의 자

리를 채워 가면서 죽은 자들이리는 것입니다. 죽었는데 하나님은 그들을 산 자 라고 이야기하십니다. 그렇게 이 땅에서 하나님의 뜻을 좇아 예수 그리스도라는 장자의 자리를 좇아 사는 삶이 부활이라는 것입니다. 그리고 그 삶을 온전히 살아내는걸 하나님 나라라고 합니다. 그게 진짜 부활이란 말이다.

부활은 우리가 예수 그리스도처럼 하나님 뜻을 완전히 순종하여 나를 완전히 부인해내는 과정과 그 완료 상태가 이땅에서의 삶의 가시적인 부활이라고 말하는 것입니다. 하나님이 그걸 완전히 만들어 낼 거란 말입니다.

이 이야기는 출애굽기 3,4장에서 하나님이 모세에게 한 말입니다. 모세 시대에 아브라함, 이삭, 야곱은 이미 죽었습니다. 그런데 모세에게 하나님이 나는 아브라함과 이삭과 야곱의 하나님, 산 자의 하나님이라 그렇게 말씀하고 계십니다. 그건 무슨 말이냐면 아브라함과 이삭과 야곱, 이 장자들의 삶이 지금 너희에게 유전이 되어 살아있는 모세, 너희 안에 다 들어있다 라는 뜻입니다.

마친가지로 그 장자들의 삶, 예수 그리스도의 삶, 우리의 신앙의 선배들이 살다간 하나님 나라의 장자들의 삶이 우리에게 계속 흘러내려와 우리 안에 다 들어있다는 것을 말하고 있습니다. 그래서 그게 기독교에서 한 몸 사상이 나오는 것입니다. 유기체로서 우리는 한 몸이라는 것입니다. 성도는 그 맡아들 장자, 예수의 삶을 그대로 답습하게 되어있습니다. 그래서 우리는 반드시

이 땅에서 죽습니다. 그리고 삶의 부활 속에서 진정한 우리의 육신의 곤고함 이후에 진정한 부활을 온전히 맞이하는 것입니다. 그리고 하나님 나라를 소망하며 이 땅에서 우리와 한 몸이신 예수 그리스도의 삶을 좇아가며 사는 삶이 부활입니다. 그리고 그것은 '한 몸'으로 우리에게 오신 하나님의 역사요 은혜라는 것입니다. / 임마누엘 카페 편집

제 10 계명

희년인 예수 그리스도를
날마다 고백하고 경험하라

* 희년이신 예수그리스도!

예수께서 그 자라나신 곳 나사렛에 이르사 안식일에 늘 하시던 대로 회당에 들어가사 성경을 읽으려고 서시매 선지자 이사야의 글을 드리거늘 책을 펴서 이렇게 기록된 데를 찾으시니 곧 주의 성령이 내게 임하셨으니 이는 가난한 자에게 복음을 전하게 하시려고 내게 기름을 부으시고 나를 보내사 포로 된 자에게 자유를, 눈 먼 자에게 다시 보게 함을 전파하며 눌린 자를 자유롭게 하고 주의 은혜의 해를 전파하게 하려 하심이라 하였더라 책을 덮어 그 맡은 자에게 주시고 앉으시니 회당에 있는 자들이 다 주목하여 보더라 이에 예수께서 그들에게 말씀하시되 이 글이 오늘 너희 귀에 응하였느니라 하시니 / 신약성서 개역개정 누가복음 4장 16-22절

예수 그리스도의 희년 선포는 하나님의 섭리와 하나님의 뜻이 실현되는 역사

적 현장입니다. 예수님은 누가복음에서 이사야 61장 1-2절을 낭독함으로 선포하셨습니다. 예수님의 이사야서 낭독은 애써 찾아서 읽으신 것이 아니라, 회당의 관례상 앞선 사람이 모세 오경을 읽었고 자연스럽게 예수님이 읽어야 할 차례에서 이사야서 61장 부분이었던 것입니다. 이것은 우연일까요? 하나님의 섭리일까요? 정확하게 표현하자면 하나님의 치밀한 섭리를 통해서 이 역사는 이루어진 것을 원문을 통해서 알 수 있습니다. 우리 한글 성경은 찾아서 읽은 것으로 나오지만, 실은 '찾으시니'의 원문 '휴렌'은 원형 '휴리스코'입니다. 이것은 무엇을 열심히 찾는 것을 의미하는 것이 아니고, '우연히 만나거나' '자연스럽게 발견하는 것'을 의미하기 때문입니다. 만약에 예수님이 열심히 찾아서 읽었다는 표현을 하려면 '제테오'여야합니다. 그렇기 때문에 본문에서 말하는 예수님이 찾아서 읽은 것이 아니라 그 차례로 읽었다는 표현이 정확합니다.

주 여호와의 영이 내게 내리셨으니 이는 여호와께서 내게 기름을 부으사 가난한 자에게 아름다운 소식을 전하게 하려 하심이라 나를 보내사 마음이 상한 자를 고치며 포로 된 자에게 자유를, 갇힌 자에게 놓임을 선포하며 여호와의 은혜의 해와 우리 하나님의 보복의 날을 선포하여 모든 슬픈 자를 위로하되 / 구약성서 개역개정 이사야 61장 1-2절

예수님의 희년 선포는 그 섭리와 내용에 있어서 하나님의 절대적 주권으로 역사한 것입니다. 하나님의 말씀이 예수 그리스도를 통해 완성되어 짐을 상

징적으로 보여주는 것입니다. 그러므로 예수 그리스도 자체가 이미 희년입니다. 희년은 하나님 나라의 상징이고 예시입니다. 그러므로 예수 그리스도가 존재하는 곳은 이미 희년이 성취된 것입니다. 예수 그리스도로 말미암아 모든 것의 해방이라는 선포를 이사야가 함으로 그 성취의 당사자가 자기 자신을 계시하고 선언하는 것입니다. 그분이 희년이고, 희년은 예수 그리스도인 것을 우리는 다시한번 기억해야합니다.

- 예수 그리스도께서 '몸소 희년'이십니다

사실 "예수님이 희년이시다"라는 말은 마이클 카드가 부른 'Jubilee'라는 노래에 나오는 가사입니다. 이 노래에서 마이클 카드는 "Jesus is our Jubilee. He is the incarnation of the year of Jubilee(예수님은 우리의 희년이시다. 그는 희년의 성육신이시다)"라고 노래합니다. 처음에는 왠지 이상하게 들렸습니다. "뭐? 예수님이 희년의 선포자도 아니고 바로 우리의 희년이라고? 게다가 예수님이 희년의 성육신이라고?" 그러면서 속으로 한번 곰곰이 생각해보게 되었습니다. 예수님이 희년이시라면 어떻게 되는 거지? 음악을 들으면서 계속 걸으며 생각해보았습니다. 그런데 문득 이런 생각이 들었습니다. "희년은 하나님의 말씀이시며, 하나님의 말씀이 성육신하시어 우리에게 오신 분이 바로 예수 그리스도이시다." 그러면서 얼마 전에 읽은 '예수의 정치학'에서 존 하워드 요더가 말한 "희년은 하나님 나라의 전조"라는 말이 떠올랐습니다. 또 동방교회의 교부였던 오리겐이 말한 "예수 그리스도께서 몸소 하나님 나라(Auto-Basileia)"라는 말도 떠올랐습니다.

그러면서 마음속으로 이렇게 정리가 되었습니다. "희년은 하나님 나라의 전조이자 근사치이다. 예수님은 몸소 하나님 나라이시다. 따라서 예수님께서는 단순한 희년의 선포자가 아닌 몸소 희년이시다."

희년은 예수 그리스도 자신이시며 희년은 하나님과 이웃과의 인격적인 관계 안에서 실현됩니다. 따라서 희년은 인격적이며 공동체적입니다. 왜냐하면 정의는 본질적으로 올바른 관계를 뜻하며 공동체적인 개념이기 때문입니다. 그러하기 때문에 희년은 단순한 부의 재분배 프로그램이나 사회적 제도가 아닙니다. 희년은 약자에게 최대한의 이익이 되도록 하는 것도, 사회 전체의 이익이 극대화되도록 하는 것도, 능력에 따라 생산하고 필요에 따라 분배하는 것도, 보이지 않는 손을 따르면서 업적에 따라 분배하는 것도 아닙니다. 희년이 구약 레위기, 그중에서도 성결법전(Holiness Code)의 최절정에서 하나님의 임재를 상징하는 양각나팔(요벨)소리와 함께 선포되는 것도 희년이 바로 하나님 자신이시기 때문입니다. 따라서 희년을 범하는 것은 하나님을 범하는 것입니다.

하나님을 사랑한다고 하면서 하나님 자신이신 희년을 거부하고 이웃을 고통스럽게 하거나 죽이는 것은 하나님을 사랑하지 않는 것을 넘어 하나님을 거부하고 멸시하고 죽이려는 것입니다. 그래서 구약의 잠언 기자는 **"가난한 자를 조롱하는 자는 이를 지으신 주를 멸시하는 자요 사람의 재앙을 기뻐하는 자는 형벌을 면치 못할 자니라"**(잠언17:5)라고 말하고 있으며, 신약의 요한일서 기자는 **"보는바 그 형제를 사랑치 아니하는 자가 보지 못하는바 하나님을 사랑할 수가 없느니라."**(요한일서 4:20)라고 선언하는 것입니다. 희년은 하나님과 이웃과의 인격적인 관계 안에서 실현됩니다. 그러므로 '예수살기'가 바로 '희년살기'입니다. 우리 모두 예수님을 따라 살면서 희년의 하나님 나라를 '함께' 이루어 갑시다. / 고영근 희년함께 사무처장 글 편집

* 처음교회의 희년의 삶

그들이 사도의 가르침을 받아 서로 교제하고 떡을 떼며 오로지 기도하기를 힘쓰니라. 사람마다 두려워하는데 사도들로 말미암아 기사와 표적이 많이 나타나니 믿는 사람이 다 함께 있어 모든 물건을 서로 통용하고 또 재산과 소유를 팔아 각 사람의 필요를 따라 나눠 주며 날마다 마음을 같이하여 성전에 모이기를 힘쓰고 집에서 떡을 떼며 기쁨과 순전한 마음으로 음식을 먹고 하나님을 찬미하며 또 온 백성에게 칭송을 받으니 주께서 구원 받는 사람을 날마다 더하게 하시니라 / 신약성서 개역개정 사도행전 2장 42절 - 47절 말씀

사도들의 가르침은 능력 그 자체였습니다. 그것은 예수 그리스도로 말미암은 것입니다. 앞서 언급했던 것처럼 예수 그리스도가 바로 희년 그 자체이기 때문에 그들의 제자인 사도들은 육적, 영적 코이노니아를 통해 완전하고 온전한 희년을 성취했던 것입니다. 그것을 자원하는 심령으로서 가능했던 것입니다. 물질적으로도 나눔을 통해 가난과 빈곤을 자신들의 공동체의 문제로 여기고 같은 마음으로 필요에 따라 소비하는 건강한 완전하고 온전한 복음의 실현이 물질적으로 실현되었습니다. 그러한 실현은 영적인 자유함과 영적인 은혜가 있었기에 가능한 것입니다. 영적으로의 나눔은 복음을 전파하며 처음 교회 공동체 전체의 자원하는 마음으로의 삶의 양식을 통해 집권자나 통치자의 폭력에 사랑과 은혜로 거룩한 저항을 통해 예수 그리스도의 제자됨과 하나님 나라의 원리를 세상에 확인 시켜 주었습니다.

- 우리는 하나입니다.

처음교회 성도들은 지하묘지에서 만날 때 다음과 같은 예화를 즐겨 들었다고 합니다. 한 청년이 한 여인을 너무나 사랑했습니다. 어느 날 더 이상 참을 수 없게 된 그는 밤늦게 여인의 집에 문을 두드렸습니다. 그리고는 여인에게 '날 좀 집안으로 들어가게 해 달라'고 청했습니다.

그러자 여인이 묻습니다.

'당신은 누구인가요?'

청년이 대답을 합니다.

'나요(It is I)'

그러자 집안에서 여인이 다시 대답합니다.

'이집은 너무 좁아요. 들어 올수가 없습니다. 가세요'

그는 그 여인이 왜 거절을 했는지 알 수가 없었고, 더구나, 그 여인도 자기를 사랑하는 게 분명한데도 말입니다.

며칠을 고민 하다가 마침내 한 가지 생각이 났습니다. 어느 날 밤늦게 그는 문을 두들기며 이렇게 대답했습니다.

'당신입니다(It is you)'

그랬더니 문이 열리고 여인이 뛰쳐나와 그를 껴안으며

'당신을 오랫동안 기다렸어요'

그렇습니다. 천국은 그분과 하난가 된 자들만이 들어 갈수가 있습니다. 사랑하는 사람들은 언제나 그 영혼과 마음이 하나요, 아내와 남편이 하나요, 그리스도와 아버지도 하나이십니다. 하나님과 나와의 관계가 하나가 될 때 참다운 사랑의 관계가 시작됩니다. 우리는 모두 주님 안에서 하나입니다.

우리는 그리스도 안에서 하나입니다. 그리스도와 하나요, 함께 하는 모든 성도들과 하나입니다. 그들의 아픔이 나의 아픔이고 그들의 고통이 나의 절망입니다. 당신이 나고, 내가 당신입니다. 그리스도 안에서 하나이기에 온전한 희년 공동체가 되는 것입니다. 하나님이 세상에서 우리가 그렇게 살아가길 원하십니다. 예수 그리스도의 공동체는 희년 공동체요, 은혜와 사랑의 공동체요, 자유와 해방의 공동체요, 풍성함을 나누는 공동체인 것을 기억해야 합니다.

* 인생의 희년, 그리고 세상의 희년

개인적으로 올해 필자의 한국 나이가 50살입니다. 숫자상으로 희년의 나이인 것입니다. 우리는 희년에 대한 가치와 의미를 전혀 염두에 두지 않고 살기 때문에 이것이 어떤 의미가 있는지 영적으로 확인하지 못하고 살 때가 많습니다. 안식일이나, 안식년은 의미를 둡니다만, 희년을 그렇게 생각하지 못합니다. 워낙 긴 세월이기도합니다. 그리고 아마 일생에 두 번 희년을 하는 사람은 그리 많지 않을 것 같습니다. 그러나 앞서 확인했듯이 희년은 우리에게도 중요하지만, 하나님께 더 중요한 것입니다. 희년은 구속사적 핵심을 가지고 있습니다. 그것은 죄의 노예에서의 온전한 자유가 시작되는 것입니다. 물론 신약에 와서 예수 그리스도와 함께 하는 우리 모두는 그가 우리의 기업 무르는 고엘이 되셨기에 날마다가 '희년'입니다. 그리고 날마다가 희년과 같은 시간을 살고 있습니다. 그러함에도 불구하고 우리는 인생의 희년을 통해 하나님이 재정하신 이 희년을 우리의 인생 중에 확인할 필요가 있습니다.

희년 정신은 자유와 해방, 은혜와 복입니다. 그러하기에 인생의 희년을 선포하는 상징적인 시간을 두고 스스로 사회구조나 직장에서 나는 자유한가? 또는 일에서 자유한가? 그리고 하나님의 은혜와 복을 온전히 누리는가를 생각하며 자신에게 스스로 희년을 선포하여 가능한 하나님 허락하신 시간 가운데 자신을 더욱 성숙한 그리스도인으로 세우는데 도움이 되는 휴식이거나, 제 2의 거룩한 인생을 설계하는 훈련이나 교육을 통해 희년 정신을 생산적으로 이끌어 가는 것이 중요하다고 생각합니다. 저 자신은 학업 보다는 책을 집필하면서 인생의 희년을 통해 문서 선교, 성경적 가치의 확립 및 영적 진보를 소망하고 꿈꾸고 있습니다. 이러한 인생들의 희년은 사회와 세상을 변화시키고 바꾸는 데 큰 역할을 할 것이라고 생각합니다.

하나님께서는 우리에게 희년을 허락하심을 통해 이 땅에서 주 안에서 자유롭고 행복한 삶을 살도록 인도하시고 이끌어주시고 계십니다. 그저 희년은 제도적인 상징이거나 율법의 한 면이 아니라, 우리 모든 인생이 필요한 삶의 은혜와 인생의 활력을 주는 거룩한 힘인 것을 인생의 희년을 통해 확인하시길 바랍니다.

* 결론 및 과제

너희 중에 가난한 자가 없으리라.

네가 만일 네 하나님 여호와의 말씀만 듣고 내가 오늘 네게 내리는 그 명령을 다 지켜 행하면 네 하나님 여호와께서 네게 기업으로 주신 땅에서 네가 반드시 복을 받으리니 너희 중에 가난한 자가 없으리라 / 구약성서 개역개정 신명기 15장 4절

완전한 복음이란 이 땅에서 살게 하신 하나님의 뜻을 아는 것입니다. '삶'이란 영적인 영역 보다 우리에게 육적인 영역이 더욱 큰 것이 사실입니다. 그런데 우리는 영적인 영역이 모든 것을 해결 줄 수 있을 것이라는 착각을 하고 있습니다. 이것은 엄밀히 보면 맞는 말입니다. 영적인 성령충만이 육적인 삶을 통치하고 정복할 수 있습니다. 그런데 우리가 이분법적으로 나눈 영적인 영역 아래는 육적인 삶을 무시할 수 없다는 것입니다. 그런데 하나님이 이 땅에 사는 우리에게 이 육적인 영역에 대해서 침묵하셨을까요? 절대 그렇지 않습니다. 서론에서 언급한 것처럼 하나님은 우리에게 성경 중, 특히 구약성서에 그러한 하나님의 사람으로서 어떻게 살아가는지를 알려 주셨습니다.

십계명을 허락하신 하나님께서는 그 의미를 서두에서 이렇게 밝히고 계십니다.

나는 너를 애굽 땅, 종 되었던 집에서 인도하여 낸 네 하나님 여호와니라 / 구약성서 개역개정 출애굽기 20장 2절 말씀

십계명의 원리이자 기초입니다. 하나님께서는 애굽 땅에서 종으로 살던 그것도 430년이라는 긴 세월입니다. 소위 뼛속까지 종입니다. 주체적으로 산 적이 없습니다. 그저 노예로 절망의 노래만 부르다가 죽는 벌레 같은 인생들입니다. 그들에게 어떻게 사는지를 간단하게 요약하고 알려 준 내용이 십계명입니다. 그 당시 기록물이 없기에 간단하게 열 가지만 알면 된다는 하나님의 뜻입니다. 십계명은 사실 복음 중에 복음입니다. 하나님의 사람이 어떻게 살아야 하는지를 구체적으로 설명한 내용입니다. 노예 밖에 살지 못하는 인생입니다. 우리도 죄의 노예입니다. 어디에서 말입니까? 바로 삶에서 입니다. 생활에서입니다. 육적인 삶, 오늘날 기독교인이 비난 받는 가장 큰 원인이 바로 세상 적인 삶에서 세상 사람과 동일하게 어쩌면 세상 사람들 보다 더 비열하고 악랄하게 살고 있다고 저들이 비난합니다. 그 이유가 복음의 영역이 저 옛날의 이단처럼 영지주의같이 영적인 부분만을 강조했습니다. 삶의 영역, 특히 경제적인 부분에서 온전히 하나님을 고백하고 실천할 때 완전한 복음의 말씀이 되는 것입니다. 구약은 숨어있는 복음, 숨겨진 예수그리스도

를 고백하는 장입니다. 그 고백이 완전하게 우리의 삶에서 경험하고 고백하길 소원합니다. 완전한 복음은 영과 육을 온전히 성경적 삶으로 고백하는 자리로 가며 실천하는 길이라고 생각합니다.

너무나 연약하고 부족한 책입니다. 앞으로도 이론적인 '삶이 변화되는 성경적 경제 10계명'을 바탕으로 현대적 적용으로 어떻게 실천할지를 연구하고 더욱 말씀을 묵상하여 또 한 번 열매 맺는 날이 오길 간절히 기도할 뿐입니다. 여러 믿음의 독자들과 하나님의 사람들의 응원과 기도 부탁드립니다. 또한 아직 그리스도 안에 있지 않지만 바른 경제관, 사람을 살리려는 경제관을 고민하는 모든 지인들에게도 도움이 될 만한 자료가 되길 소망합니다.

[참고도서 및 문헌과 자료]

1. 음식의 제국

　　저자 에번 D. G. 프레이저 , 앤드루 리마스 / 역자 유영훈

　　출판사 알에이치코리아(RHK) 2012

2. 안식일은 저항이다

　월터 브루그만 지음 /역자 박규태/ 출판사 복있는 사람　2015

3. 진보와 빈곤

　　헨리조지 원저 / 역자 김윤상 / 출판사 비봉 2016

4. 칼빈의 경제윤리

　　앙드레 비엘러 지음 / 역자 홍치모 / 출판사 성광문화사 1985

5. 안식년의 비밀

　　조나단 칸 지음 / 역자 박병우 / 출판사 순전한 나드 2017

6. 예수님의 경제학 강의

　　벤 위더리언 3세 지음 / 역자 김미연/출판사 넥서스크로스 2010

7. 대천덕 신부의 하나님 나라

　　대친덕 지음 / 출판사 CUP 2016

8. 자본론 공부

　　김수행 지음 / 출판사 돌베게 2014

9. 옥스퍼드 주석 참고

10. 구약, 신약 성서 개역개정 판

11. 자료 참고 단체

- 기독교 사상

- 한국종교문화연구소

- 희년함께

- 희년토지정의실천운동

- 경제개혁연구소

12. 언론 자료

- 동아일보, 브릿지경제, 크리스찬신문,

13. 우리에겐 얼마만큼의 땅이 필요한가?

- 톨스토이 동화

14. 기타 인테넷 자료와 언론 자료 인용

- 정확한 출처는 최초 자료가 기안자가 밝혀지지 않아서 추론에 근거하여 추상적으로 밝힘을 양지 바랍니다.